MÉTODO DEL DOCTOR SAGRERA

ESPALDA SANA Y SIN DOLOR

MÉTODO DEL DOCTOR SAGRERA

ESPALDA SANA Y SIN DOLOR

integral

CONTENIDO

1. LIBERAR LAS TENSIONES CORPORALES

2. INTRODUCCIÓN AL QUIROMASAJE

3. UNA VIDA SALUDABLE

4. EQUILIBRARSE DE PIES A CABEZA

GANAR SALUD CON EL MASAJE

El Dr. Jordi Sagrera-Ferrándiz, discípulo de Vicente Lino Ferrándiz, conoce a fondo las terapias manuales, pues lleva casi medio siglo dedicado a ellas. Desde la Escuela de Masaje Manual, que creó en 1983, ha formado a miles de profesionales en dichas técnicas. Sería difícil contar con una visión más fundamentada de cómo debe ser un masaje, sus indicaciones y sus límites.

● Algunas personas me preguntan por qué, siendo médico, me dedico profesionalmente al masaje desde hace décadas, o qué cabe pedirle a las terapias manuales y qué no. Intentaré sintetizar qué pueden aportar a nuestra salud y cómo usarlas con buen criterio.

Las técnicas de masaje sirven para prevenir o tratar de manera eficaz y no agresiva distintos problemas músculo-esqueléticos. El masaje es valioso en sí mismo, no sustituye nada ni puede ser sustituido por otra cosa. Es una herramienta que contribuye a que el organismo recupere el equilibrio, sobre todo si forma parte de un tratamiento completo, junto con la fisioterapia, la dieta, las plantas medicinales, el ejercicio o los medicamentos cuando resultan necesarios.

Cada masajista profesional domina un conjunto de técnicas y debe aplicarlas con sensibilidad para resolver las necesidades del paciente concreto. En mi caso, intento combinar y elegir entre todo lo que he aprendido a lo largo de 45 años desde que estudié mi primer curso de masaje con el doctor Vicente Lino Ferrándiz,

mi maestro, que luego se convirtió en mi padre adoptivo. Gracias a él pude estudiar medicina, profesión que ejerzo desde hace cuarenta años.

MÁS DE 70 AÑOS DE QUIROMASAJE

El doctor Vicente Lino Ferrándiz fue conocido por haber creado el quiromasaje. *Quiro* significa «mano» en griego, y con esta palabra quiso destacar que se trataba de un masaje realizado sin aparatos, algo importante en una época en que la innovación que suponían muchas máquinas las hacía parecer más valiosas que las manos.

El doctor Lino Ferrándiz desarrolló su técnica a partir del profundo conocimiento que había adquirido de los masajes que se realizaban en los sanatorios naturistas de Alemania y Suiza, y después en Estados Unidos, adonde había emigrado después de la Primera Guerra Mundial y donde pudo conocer los masajes orientales que practicaban los emigrantes chinos.

En 1943 fundó en Barcelona su Escuela de Quiromasaje, en la que yo aprendí y tuve el honor de colaborar como médico y profesor hasta el fallecimiento del doctor Ferrándiz en 1981. Un año después abrí la nueva consulta y la escuela donde he continuado con la enseñanza del quiromasaje original al que he ido incorporando, poco a poco, nuevas maniobras y técnicas. En este sentido, otro de mis maestros ha sido el osteópata Georges Berlinson, con quien

Los dolores de espalda son la causa de la inmensa mayoría de las visitas a la consulta de un masajista.

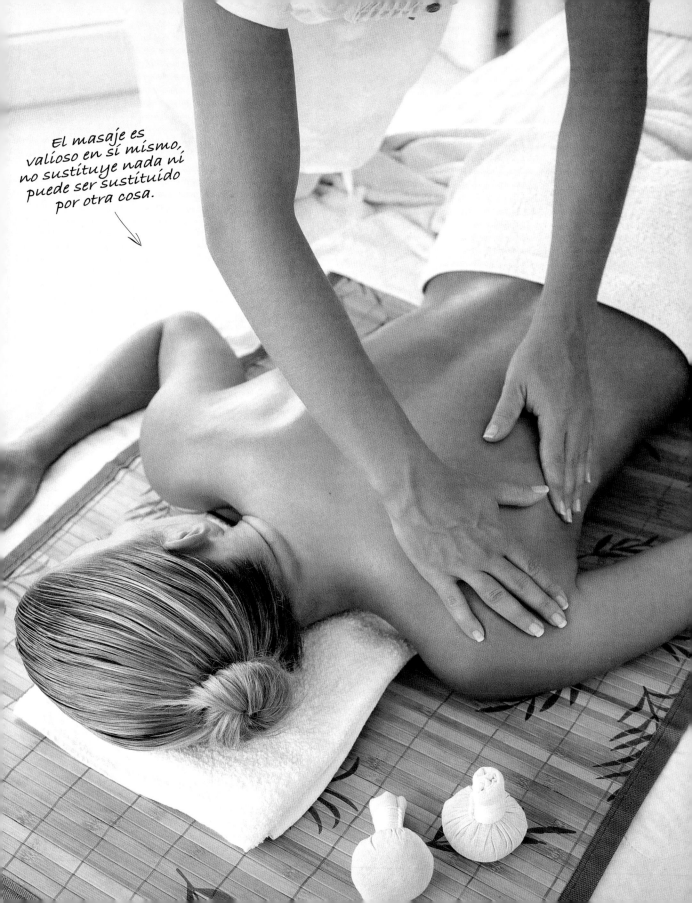

El masaje es valioso en sí mismo, no sustituye nada ni puede ser sustituido por otra cosa.

Cada masajista profesional domina un conjunto de técnicas y debe aplicarlas con criterio y sensibilidad.

aprendí, por ejemplo, técnicas muy específicas para manipular las vértebras cervicales.

LA PROFESIÓN DE MASAJISTA

El quiromasaje siempre ha gozado del aprecio de los pacientes, pero en todos estos años he podido comprobar cómo ha ido aumentando su reconocimiento por parte de los profesionales sanitarios. Recuerdo la displicencia con que hace unos años me trataban mis compañeros médicos por dedicarme a la medicina naturista, a las «hierbitas» y al masaje. Hoy acuden a la escuela fisioterapeutas y médicos para recibir la formación que aún no ofrecen en la Universidad. Existe un enorme interés, por fin, en las terapias manuales, porque han demostrado su eficacia y porque son solicitadas por los pacientes.

Las cosas han cambiado mucho, pero todavía deberían hacerlo más. Es necesario un reconocimiento oficial de la profesión de masajista, con estudios extensos, una titulación homologada y la posibilidad de participar en los equipos de los centros sanitarios. Un osteópata, un médico o un fisioterapeuta puede aplicar técnicas de masaje, pero el masajista es quien debe poseer un conocimiento más exhaustivo para realizar una variedad de tratamientos. Si la profesión estuviera bien regulada, como en otros países, los traumatólogos podrían enviar a sus pacientes al masajista para realizar una terapia individualizada, profesional y con tiempo. Algo mucho mejor que los protocolos de rehabilitación que se realizan actualmente y que consisten en pasar de máquina en máquina, de terapeuta en terapeuta, cada cinco minutos.

EL ARTE DE COMBINAR TÉCNICAS

Otorgar al masaje el lugar que merece en un tratamiento eficaz y completo, que minimice el uso de medicamentos con efectos secundarios, puede cambiar la manera en que se practica la medicina, que últimamente está tomando un camino que no me gusta y que no es el que desean los pacientes. Estos buscan un trato humano y personalizado. No quieren consultas apresuradas ni que de buenas a primeras se pidan pruebas diagnósticas. Yo creo en la visión clásica: anámnesis, exploración, inspección, palpación, auscultación... y al final de todo, las pruebas complementarias. En la medicina actual, por las razones que sean, las pruebas complementarias han pasado al primer lugar. Enseguida se piden radiografías y resonancias. Yo prefiero tocar antes; practicar el arte de la medicina, que se basa en los conocimientos, pero también en la experiencia y en la intuición. Además, es necesario dedicar al paciente el tiempo que necesita. Hoy que está de moda la externalización en la medicina, los médicos deberían enviar a los pacientes a recibir tratamientos específicos individualizados, con todo el tiempo necesario. Y no sería caro. Por un masaje de 45 minutos se cobran unos 35-40 euros.

Como masajista, lo que más me gusta es la posibilidad de combinar técnicas para conseguir mejores resultados: técnicas de tejido blando superficial, sobre el tejido blando medio o articulares. Por ejemplo, una epicondilitis

Jordi Sagrera-Ferrándiz comenzó el aprendizaje de las técnicas de masaje en 1967 de la mano del doctor Vicente Lino Ferrándiz, creador del quiromasaje.

(codo del tenista) puede tratarse con quiromasaje, técnicas desfibrosantes y una maniobra osteopática. Pero además de las técnicas concretas está la sensibilidad que todo masajista desarrolla. Los dedos sienten, ven, oyen... A través del tacto se percibe la textura del tejido, se descubre la necesidad de aplicar determinadas maniobras, con la profundidad, la velocidad y el ritmo adecuados. Por eso un masaje nunca es igual a otro. Siempre es un tratamiento personalizado, único. Esta sensibilidad necesaria es algo que no se enseña, sino que todo masajista vocacional descubre dentro de sí mismo.

ANTE EL DOLOR DE ESPALDA
Las beneficios del masaje ante muchos problemas de salud se explican por la acción de las manos sobre los músculos y las fascias, con

> La tensión postural y la tensión nerviosa son las principales causas de las molestias en la espalda.

efectos sobre los sistemas circulatorio y neurovegetativo. El masaje es útil en el campo de la estética, en la relajación o el bienestar, en la atención a los deportistas y sobre todo en el terreno terapéutico. Son indicaciones del quiromasaje todas las patologías músculo-esqueléticas, como contracturas, sobrecargas o roturas de fibras, entre otras.

Los dolores de espalda son la causa de la inmensa mayoría de las visitas a la consulta de un masajista. En muchos casos, el masaje por sí solo puede solucionar el trastorno, sin necesidad

Al trabajar sobre el tejido blando, el masaje siempre produce una mejoría que el paciente aprecia.

de recurrir a medicamentos que poseen efectos secundarios. En otros casos, el quiromasaje puede formar parte de un tratamiento más integral, con fisioterapia, osteopatía, etc. Solo en los casos en que hay ciertos síntomas de inflamación aguda o traumatismo el masaje está temporalmente desaconsejado.

Al masajista acuden los pacientes que conocen las terapias manuales y que saben que pueden recibir un tratamiento eficaz y menos agresivo que el que podría darles un traumatólogo. También pueden acudir personas que han seguido un tratamiento determinado y no se han sentido mucho mejor.

Al trabajar sobre el tejido blando, el masaje siempre produce una mejoría que el paciente aprecia. Una vez superado el problema, también se puede realizar masaje preventivo para evitar recaídas. Tengo un paciente que ahora cuenta con más de 80 años y que me visita por este motivo desde hace más de 40. Cuando yo estaba empezando, lo visité en su casa porque no podía moverse debido a un dolor lumbar y una ciática. Le manipulé la columna y «lo arreglé», por así decirlo. Desde entonces ha venido cada 15 días, durante más de 40 años. Hacerse un masaje regularmente tiene tanto sentido como hacer deporte, comer sano, hacer relajación o escuchar música. Forma parte de un estilo de vida sano y natural.

TENSIONES POSTURALES Y NERVIOSAS

La tensión postural y la tensión nerviosa son las principales causas de las molestias en la espalda. Además, puede haber otra multitud de desencadenantes concretos, como movimientos repetitivos en el trabajo, artrosis, protusiones o hernias discales, problemas en la articulación de la cadera... Las disfunciones, al margen de cuál sea su origen, pueden llevar a alteraciones de la movilidad que se traduzcan en problemas musculares y cutáneos. Si mediante técnicas apropiadas se recupera la movilidad, también se resuelven los dolores. Luego hay molestias en esta zona que se deben a trastornos generales, como es el caso de la fibromialgia, y también pueden ser aliviadas.

Un dolor lumbar de causa muscular desaparece normalmente en unos días aunque no se realice ningún tratamiento porque el cuerpo tiende a la autocuración, pero un buen masaje, con la combinación de manipulaciones que resulte necesaria, reduce las molestias y acelera la sanación.

Para favorecer la recuperación y la prevención es importante acompañar el tratamiento pasivo que constituye la terapia manual con un ejercicio activo bien hecho, de acuerdo con la estructura y las condiciones físicas de cada persona. Son igualmente importantes el descanso, la alimentación y, en algunos casos, los suplementos de colágeno, por ejemplo. Esto es suficiente en la mayoría de los casos. No obstante, algunas lumbalgias son debidas a patologías (hernia discal, compromiso radicular) que pueden exigir una medicación antiinflamatoria complementaria.

REFLEXOLOGÍA, SHIATSU, OSTEOPATÍA...

Por otra parte, unos problemas determinados requieren una técnica muy concreta para solucionarse, mientras que otras alteraciones pueden ser tratadas eficazmente de distintas maneras. Una apendicitis aguda necesita cirugía y nada más. Pero ante una contractura muscular hay muchas posibilidades de trabajo. Todo masajista añade a su formación básica una especialización en distintas técnicas que pueden enriquecer su práctica.

El codo del tenista puede tratarse con quiromasaje, técnicas desfibrosantes y una maniobra osteopática.

La reflexología, por ejemplo, es una técnica ancestral, que se basa en la existencia a nivel neurofisiológico de correspondencias entre los meridianos energéticos, las fascias y el sistema nervioso parasimpático y, por lo tanto, los sistemas y órganos internos (digestivo, urinario, respiratorio, etc).

Se pueden realizar técnicas reflexológicas sobre pies, manos, cara o vértebras. Ante las molestias de espalda resultan muy interesantes cuando la inflamación no permite tocarla, pues podemos tratarla a distancia a través de las fascias.

El shiatsu, un masaje japonés cada vez más popular en Occidente, también actúa sobre los meridianos energéticos que describe la medicina oriental. Se realizan presiones sobre determinados puntos y eso permite trabajar problemas tanto músculo-esqueléticos como de los órganos. Es una disciplina compleja que se aprende a lo largo de tres años de estudios amplios.

La osteopatía no es solo un masaje, es un método terapéutico general, pero muchas maniobras inciden de manera suave sobre los tejidos blandos y se pueden utilizar en cualquier masaje. La quiropráctica, por su parte, derivó históricamente de la osteopatía y se basa en maniobras muy precisas que actúan mecánicamente sobre las vértebras.

Los conocimientos de aromaterapia sirven para aprovechar las propiedades de los aceites esenciales de las plantas, en los que estas concentran su poder medicinal. Se añaden a los aceites básicos que se utilizan como lubricante durante el masaje. Estas esencias, muy potentes, poseen acción terapéutica y pueden potenciar, por ejemplo, el efecto circulatorio (con castaño de indias, por ejemplo) o relajante (lavanda).

Un buen masajista puede conocer con más o menos profundidad todas estas disciplinas y muchas otras (drenaje linfático, rolfing, kinesiología, técnica Nimmo...) pero, por encima

Saber hacer un masaje, aprender las técnicas básicas, nos enriquece y nos ayuda a cuidarnos unos a otros.

de todo, debe ser honesto y reconocer cuándo puede ayudar y cuándo no. Por ejemplo, si acude a mi consulta un paciente con dolor causado por un herpes le diré que no puedo ayudarle y le recomendaré que vaya a un acupuntor.

Por otra parte, en cualquier tratamiento manual hay que esperar resultados positivos apreciables en tres o cuatro sesiones. El cuerpo no se demora tres años en reaccionar, así que si un tratamiento no produce buenos resultados en ese periodo, es que el paciente necesita algo más.

¿DEBE DOLER?

Existe la idea de que el masaje puede resultar doloroso, incluso de que es necesario que sea doloroso para que resulte eficaz, o que de una buena sesión se sale «machacado». No es cierto. Un paciente nunca debe salir de la consulta peor que ha entrado. Eso significaría que se ha trabajado mal o con demasiada fuerza. Lo idóneo es salir con una sensación de estar flotando, que es debida a la relajación a diversos niveles (físico, energético, emocional...).

Un masajista debe tener conocimientos de anatomía y fisiología para evitar que las maniobras aumenten o produzcan dolor al no ser las adecuadas. Es cierto que a veces, para provocar una reacción de relajación, es necesario aplicar una presión profunda. El paciente puede decir: «qué daño y qué gusto». Esa no es la sensación desagradable que se identifica con el dolor y que posee sus receptores nerviosos específicos, sus vías de modulación en la médula y a nivel cerebral. Si tienes una rotura de fibras y de forma inmediata se toca, produce un dolor horrible. En la sobrecarga muscular, el dolor del masaje va acompañado de alivio. Eso no es dolor.

El masajista trabaja al límite del dolor pero tratando siempre de evitarlo. Algunas técnicas muy concretas, como las desfibrosantes de un masaje denominado Cyriax, podían resultar muy dolorosas. Pero desde que se desarrollaron

se han ido suavizando, porque se ha comprobado que el dolor no es beneficioso. Antes se aplicaban fricciones muy intensas durante 20 minutos, pero ahora se aplican durante 1 minuto en series de 5, y los resultados son mejores.

PUNTOS GATILLOS Y ACUPUNTOS

A veces, el masajista busca un principio de sensación de dolor para, a partir de ahí, hacer algo más. Los puntos gatillo son puntos dolorosos con cierta irradiación. Al trabajar con digitopuntura buscas cuándo se inicia el dolor, pero te detienes, no lo fuerzas. Eso te indica que debes trabajar el músculo, alargarlo aplicando presiones deslizantes.

Por cierto, los puntos gatillo coinciden con los puntos de acupuntura. El masajista puede reconocer con sus manos esos puntos de los que habla la medicina tradicional china. Cuando se los enseñamos a los médicos, cuando los ven, los tocan y los trabajan, ya no necesitan hacer un acto de fe en una medicina natural que no les han enseñado en la Universidad. Hacen con sus manos un acto de conocimiento. De esta manera, las terapias manuales están contribuyendo a la ampliación de los horizontes de la medicina.

EL MASAJE DE BIENESTAR

Una de las indicaciones básicas del masaje es proporcionar bienestar y relajación. Realizar un masaje de bienestar es algo que está casi al alcance de cualquiera. No hacen falta grandes titulaciones, igual que para hacer la comida cada día en casa no se requiere ser un experto en nutrición o un chef.

Acudió una vez a nuestra escuela una mujer cuya profesión era la enología: era experta en producción de vino. ¿Qué tenía que ver eso con los masajes? Nada. Le interesaba aprender para hacerles masaje a sus hijos y a su pareja. Saber hacer un masaje, aprender unas técnicas básicas, supone un enriquecimiento personal, un saber que nos ayuda a cuidarnos unos a otros.

Implica un contacto físico entre personas, y cuando hay un contacto siempre hay un componente emocional y psicosomático. Nos recuerda de alguna manera que en la vida no estamos solos y se produce una relajación y una

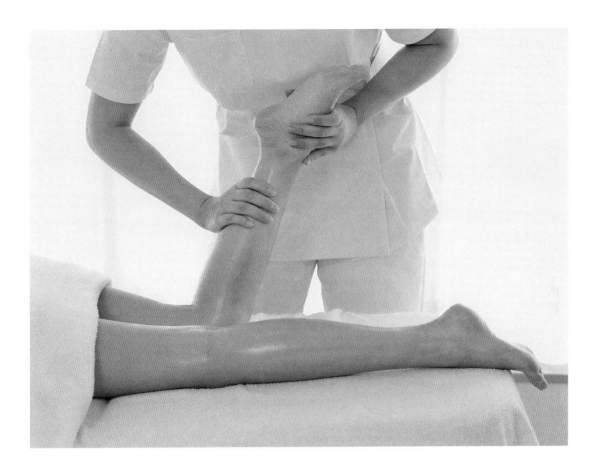

distensión. En la consulta terapéutica, a veces, el paciente puede soltarse y comenzar a llorar porque llegó con ansiedad. Y eso puede resultar muy terapéutico. Para muchas personas, el simple hecho de tumbarse en la camilla y ponerse en las manos de un profesional en el que tienen confianza hace que ya se sientan mejor. Por eso es importante que el masajista ponga, además de técnica, ilusión y amor por ayudar a los demás, por hacer el bien, algo fundamental en cualquier trabajo y en la vida.

DE LA ESCUELA A LA UNIVERSIDAD

Tengo la ilusión de seguir trabajando y formando un equipo que continúe con el trabajo de la escuela y la consulta cuando yo me vaya retirando. Estoy satisfecho con el camino recorrido. Colaboramos con escuelas en Chile, Uru-

> Existe la idea de que el masaje puede ser doloroso o de que debe doler para que resulte eficaz. No es cierto.

guay y Argentina. Doy clases en un máster de medicina manual para médicos en la Universidad Complutense de Madrid. El quiromasaje y nuestra escuela cada vez son más reconocidos en Europa. Además de los títulos que damos nosotros, algún día los masajistas podrán mostrar un diploma oficial que ofrezca todas las garantías a los pacientes de que están recibiendo la atención adecuada. Ahora tienen que fiarse del boca a boca para elegir a un especialista.

Y tengo otra ilusión para la que hasta ahora no he tenido tiempo, ¡aprender a tocar el piano!

1. LIBERAR LAS TENSIONES CORPORALES

¿POR QUÉ DUELE LA ESPALDA?

Los hábitos posturales y el estado de ánimo se retroalimentan para generar tensión –y en consecuencia molestias y dolor– o relajación –necesaria para el bienestar físico y mental–. Los problemas de espalda se pueden prevenir adoptando posturas correctas, practicando ejercicios de estiramiento, relajación y fortalecimiento, y manteniendo una actitud vital positiva.

● Algo tan sencillo como flexionar las piernas al recoger un objeto del suelo puede ayudarnos a no sufrir dolor de espalda. No podemos decir que todo nazca en la postura, pero el estilo de vida occidental, excesivamente sedentario, en el que las personas se pasan muchas horas sentadas en el trabajo o en el sofá de casa, ofrece una pista de hacia dónde enfocar el cambio de hábitos.

El consejo que con más frecuencia proponen los masajistas y los fisioterapeutas en sus consultas cuando alguien acude con molestias suele ser trabajar la flexibilidad, mucho más que tonificar la musculatura.

Los estiramientos, tan sencillos y agradables de hacer, pueden ser el mejor remedio para los dolores de espalda. Una simple rutina matinal o antes de acostarse puede ser, con la constancia de las semanas, el aliado perfecto para combatir el malestar.

El dolor lumbar no es una enfermedad, sino una señal de alarma de los desequilibrios del cuerpo. El estado de la espalda, el número de puntos o zonas dolorosas, proporciona información valiosa sobre el estado general de salud.

Podemos hallar una explicación puramente mecánica a las causas de un dolor de espalda. Los discos intervertebrales se desgastan con el paso de los años. Las vértebras se desajustan, las raíces nerviosas se irritan y eso provoca dolor. También influyen los músculos contracturados, por ejemplo esos nudos que podemos sentir al recorrer la base del cuello. Los tendones acusan el estrés de los movimientos repetitivos o de los ligamentos que sufrieron un esguince por una sobrecarga de trabajo. Pero eso no explica por qué un día repleto de exigencias acabamos la jornada con dolor y en otro más tranquilo no aparecen molestias. ¿Qué hay detrás de estas dolencias?

PROBLEMAS DE ÁNIMO

Cuando una persona está enfadada, ansiosa, enferma o deprimida, aumenta su sensibilidad al dolor. Esto se debe a que el cuerpo no fluye como de costumbre, y hacer cualquier cosa cuesta más. Si el enfado cunde, el cuerpo parece transformarse en una especie de olla a presión. Si esa presión no se disipa, genera molestias. Con el calor interior, los músculos

■ SEÑALES DE ALARMA

Cuando algo no va bien, la espalda lo dice con molestias. Primero lo hace de manera suave, con sensaciones desagradables que desaparecen descansando. La causa más frecuente del desequilibrio puede ser la falta de actividad física. Incluir más movimiento en la vida cotidiana –y disfrutarlo– es la medida más sabia.

ESTIRAR Y RELAJAR LOS MÚSCULOS DE LA ESPALDA

Conviene realizar estos ejercicios al terminar la jornada laboral. Al practicarlos hay que sentir cierta tensión, pero no se debe llegar a sufrir dolor. Siempre han de resultar placenteros.

Aumenta poco a poco la velocidad con que ejecutas el movimiento.

2 **Hombros y omoplatos.** Inclina el tronco hacia adelante y levanta un brazo lateralmente para dejarlo caer a continuación. Haz lo mismo con el otro. Lo repetimos 5 veces.

1 **Rotación de cadera.** Con las piernas abiertas y los brazos en cruz, rotamos el tronco rítmicamente. Los primeros movimientos deben ser lentos para calentar la musculatura y fijar los límites del movimiento, que no se deben intentar sobrepasar. Este ejercicio tonifica la musculatura abdominal y lumbar y contribuye a regular la función intestinal.

3 **Cuello y trapecios.** Dejamos caer la parte superior del tronco hacia delante, sin tensión. Los brazos se quedan sueltos y movemos suavemente la cadera de un lado a otro.

19

■ TONIFICACIÓN DE LA MUSCULATURA LUMBAR

Estos ejercicios son algo menos exigentes que los de la página contigua. En el de «nadar sin agua» es importante mantener el cuello recto a fin de no sobrecargar más un lado que el otro.

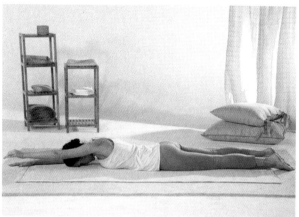

1 **Cadera y glúteos.** Nos estiramos boca abajo y levantamos una pierna ligeramente flexionada mientras inspiramos y, al bajarla, lentamente, exhalamos el aire. Se realizan 5 repeticiones con cada pierna.

2 **Nadar sin agua.** Boca abajo con los brazos estirados, la secuencia de movimientos consiste en levantarlos alternativamente. Las piernas se mantienen en reposo y la respiración se acompasa al movimiento.

pierden humedad y ganan rigidez; los tendones no están tan elásticos: palpamos una espalda surcada por «cuerdas de violín» y con nudos bajo la piel. Las emociones dejan así su huella en los tejidos, y viceversa: las molestias corporales generan desánimo. Para salir de ese círculo vicioso hay que buscar ayudas. Estando afligidos, lo que menos apetece es mover el cuerpo, por eso resulta útil hacerlo en compañía.

ALIVIAR LA TENSIÓN MUSCULAR
Mientras ponemos remedio o buscamos soluciones, los músculos se quejan, se tornan rígidos y generan dolor. Si pasamos la mano, es posible sentir las contracturas musculares como nudos evidentes al tacto. Podemos intentar disminuir el malestar presionando con el pulgar sobre el punto durante más de un minuto, sin-

tiendo que «respiramos» a través de ese punto. Llega un momento en que se siente como que el nudo se deshace. Entonces podemos parar. Si no logramos acceder a todos los nudos de la espalda, podemos pedir ayuda a nuestra pareja o un amigo para que aplique ese tratamiento allí donde no alcanzamos. Otro recurso es descongestionar los músculos utilizando una pelota de tenis.

Las zonas más propensas a «anudarse» son los trapecios –que sostienen la cabeza– y la musculatura que envuelve la escápula. En ese caso, es como cargar una mochila invisible constantemente sobre los hombros.

Cuando las molestias se encuentran cerca de la zona lumbar, a la altura de los riñones o próximas al hueso sacro, ya no es aconsejable el automasaje al faltar la protección que brindan las costillas. Puede que el dolor pro-

venga de una contractura muscular o se derive de algún nervio comprimido. En ambos casos es aconsejable el tratamiento por un profesional, que realizará un diagnóstico.

Las últimas recomendaciones médicas indican que si no existe un problema de pérdida de fuerza u otro signo muy claro, pruebas como la resonancia magnética no son aconsejables, pues aportan poca información y sí una radiación indeseable para el cuerpo. Además, el diagnóstico puede verse distorsionado por el descubrimiento de hernias o protusiones antiguas que nada tienen que ver con los dolores actuales.

LAS MALAS POSTURAS
Por último, y sin ser exhaustiva esta lista, el otro gran causante de dolor acostumbran a ser las malas posturas. Muchas horas en una posición fija

FORTALECIMIENTO DE CADERA, ABDOMEN Y CUELLO

La funcionalidad de la espalda también depende de las musculaturas adyacentes. Es importante que los tejidos de la cadera, el abdomen y el cuello se encuentren tonificados.

Al levantar la pierna, inspira al bajarla, espira.

1 **Trabajar la cadera.** En este ejercicio partimos de una postura cómoda. Nos tumbamos mirando al cielo y estiramos las piernas. Luego nos ponemos de costado. Levantamos una pierna recta hasta donde lleguemos. A continuación cambiamos de lado y hacemos lo mismo con la otra pierna hasta completar un ciclo de 5 repeticiones. Este ejercicio refuerza la musculatura de la cadera, lo que proporciona mayor estabilidad.

1 **La parte posterior.** Sosteniéndonos con los brazos, levantamos una pierna recta mientras inspiramos, luego la bajamos despacio mientras sacamos el aire. Seguimos con la otra pierna y realizamos 5 repeticiones.

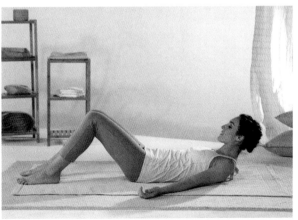

2 **Cuello a tono.** Tendidos boca arriba con las piernas flexionadas, sin despegar la espalda del suelo, la cabeza sube y tomamos aire (por la boca o la nariz, como resulte más cómodo), exhalando al bajarla.

■ RELAJAR LAS ESCÁPULAS Y LOS COSTADOS

Alrededor de las escápulas se producen frecuentemente contracturas dolorosas que se sienten como «nudos». La musculatura de los costados contribuye a la estabilidad de la columna.

Mantén las rodillas algo flexionadas.

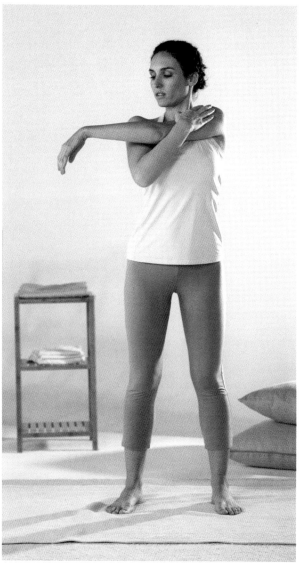

1 **Estirar los costados.** Nos ponemos de pie, con las piernas separadas y cada mano agarrando el codo contrario. Nos inclinamos lateralmente, espirando el aire con lentitud al bajar. Volvemos a la posición inicial, y al hacerlo llenamos nuestros pulmones. Sin movernos del sitio, repetimos el ejercicio hacia el otro lado.

2 **Abrir las escápulas.** Este estiramiento es excelente para abrir la escápula y dar flexibilidad a los músculos y tendones de la parte dorsal de la columna. Se realiza de pie o sentado, tirando ligeramente con la mano del brazo estirado. Es importante atender a la tensión y *respirar* a través de los tejidos que se estiran.

▪ MOVILIZACIÓN DE LA ZONA LUMBAR

Realizado con regularidad, este ejercicio sencillo es muy eficaz para tratar y prevenir las molestias en la zona lumbar (parte baja de la espalda) y también en la dorsal (parte media).

1 «El gato» inspirando. Nos ponemos de rodillas, con los brazos extendidos y las manos apoyadas en el suelo. Mientras inspiramos arqueamos la espalda de forma convexa e inclinamos la cabeza hacia delante.

2 «El gato» espirando. Luego bajamos hasta formar una curva cóncava, mientras expulsamos el aire. Lleva la atención a la zona que se estira, a fin de notar dónde hay más tensión. Así el ejercicio resultará más útil.

en el trabajo, sea sentado en una silla o de pie junto a un mostrador, acaban pasando factura. ¿Qué podemos hacer? Primero la prevención, que pasa por mejorar la postura siendo más conscientes del cuerpo, viéndolo y sintiendo qué es lo que lo daña. Segundo, dedicar unos escasos minutos cada par de horas a estirar la musculatura. Se trata de un trabajo personalizado, pues por ejemplo a un peluquero le interesa más estirar los músculos de la parte alta del tronco mientras que alguien que trabaja sentado encontrará mayor alivio alargando la columna vertebral. La clave es escuchar al cuerpo y sentir qué estiramiento resulta más beneficioso.

La prevención en la espalda desempeña un papel esencial. Nos podemos apoyar en un terapeuta, pero la clave es implicarse personalmente. Lo más importante: sentir el cuerpo, algo tan sencillo como preguntarse en algún momento del día qué nos duele. Cerrar los ojos, respirar calmadamente y hacer un rápido recorrido anatómico, escuchando las señales que nos envía el cuerpo: qué nos molesta, qué parte está tensa o rígida... Más tarde experimentamos con estiramientos y observamos qué posturas no nos favorecen. A partir de ahí se van incorporando cambios. Será más fácil modificar hábitos con la ayuda de un profesional. La espalda responderá con menos dolor.

ELEGIR UNA TERAPIA

Aunque es difícil dar consejos en un terreno tan amplio y personalizado, ya que cada terapeuta es un artesano de la salud, clasificar las terapias a partir de la causa de las dolencias puede ayudar a afinar un poco más la recomendación. Si hay un componente mayoritariamente físico en el dolor de espalda, la osteopatía, la fisioterapia o la quiropráctica pueden ser una buena elección. A nivel postural, es aconsejable experimentar con la Reeducación Postural Global (RPG) o la microgimnasia y también con el rolfing o la técnica Alexander. Cuando el tratamiento requerido es más global, sumando a los problemas físicos el de algún desequilibrio emocional o energético, la acupuntura suele ser muy eficaz. También es útil recurrir a los masajes propios de Oriente, como los ayurvédicos (India), el tailandés o el tuina (China), del que deriva, a su vez, el shiatsu (Japón). Y lo más importante: encontrar un buen terapeuta que inspire confianza y aporte resultados tangibles. Las recomendaciones de nuestros conocidos son un buen camino por donde empezar a investigar.

ESTIRAMIENTOS RELAJANTES

Dedicar unos minutos a estirar los músculos no solo mejora la flexibilidad, sino que también ayuda a disipar tensiones que podrían dar lugar a dolores o contracturas. La elongación muscular es muy recomendable tanto para las personas que llevan un estilo de vida sedentario como para las que hacen deporte, y explica parte de las virtudes de disciplinas como el yoga o el taichí.

● Todo deportista aficionado o de élite complementa sus entrenamientos con una sesión de estiramientos. Se trata de ejercicios tan sencillos como desperezarse de buena mañana, y son útiles porque eliminan parte de la tensión que se acumula con los días. Producen unas excelentes sensaciones que llevan a encontrarse más vital y menos pesado.

Estirar incrementa la circulación sanguínea. Cuanto más veloz se mueva la sangre por el músculo y en mayor cantidad, más lo limpiará de sustancias que provocan dolor. También incrementa la flexibilidad, lo que amplía el movimiento de las articulaciones y contribuye a disminuir la rigidez. Desde un punto de vista terapéutico, atenúa los desequilibrios corporales.

UNAS PAUTAS GENERALES

A la hora de empezar a estirarse, será en la zona que más moleste a diario donde se deberá poner la intención. Siempre será interesante consultar a un profesional sobre qué músculos están peor, aunque a veces nadie mejor que uno mismo para dar con la solución. Normalmente las tensiones y el estrés producen un estancamiento o bloqueo que puede acabar en dolor. Si alguien se ve presionando las mandíbulas, subiendo los hombros o cerrando los puños inconscientemente, puede visualizar cómo en su interior también todo se contrae. La buena noticia es que cualquier momento es bueno para dejar de acumular tensiones y empezar a disolverlas. Para realizar bien los estiramientos conviene seguir determinadas pautas:

Postura. Hay que buscar una posición que proporcione estabilidad y comodidad, sea sentado, de rodillas o con un solo pie de apoyo, y tratar en cualquier caso de sentir el centro de gravedad bajo –entre el pubis y el ombligo– y algo así como si brotaran raíces por la planta de los pies.

Estirar mientras se espira. El estiramiento se debe realizar lentamente y teniendo en cuenta la respiración. Al sacar el aire aprovechamos para estirar y, al inspirar, nos detenemos. En la siguiente espiración intentamos estirarnos un poco más, yendo solo hacia delante y sin hacer movimientos de rebote. De nuevo nos detenemos al inspirar, dejando el cuerpo en la posición que hayamos conseguido.

■ LIBERAR LOS BRAZOS

1 **Porción media del trapecio y romboides.** Ponte de pie y apoya la rodilla derecha en el banco. La pierna izquierda se flexiona ligeramente y el brazo derecho se agarra al lado izquierdo del banco o la silla. Incorpórate sin dejar el contacto de la rodilla y siente la tensión a la altura de las escápulas. Mantén el estiramiento durante 30 segundos.

LA MUSCULATURA DEL CUELLO

Practicar este estiramiento resulta muy útil si se sufren a menudo dolores de cabeza relacionados con tensión muscular, y también para aliviar dentro de lo posible una tortícolis puntual.

Es muy útil si se realizan trabajos sedentarios.

2 **Esternocleidomastoideo.** Apoya la mano donde el músculo se une al hueso (como en la foto), atrasa un poco la cabeza y llévala hacia la izquierda hasta notar una tensión suave.

1 **Parte superior de los trapecios.** Siéntate en una silla que te resulte cómoda, sin erguir demasiado el cuerpo. Con la mano derecha agárrate a la silla de manera que quede por detrás del cuerpo, y asegúrate de alinear la cabeza con el cuello. Estira el cuello hacia la izquierda notando el anclaje a la silla con la mano derecha. Luego repite cambiando de lado.

3 **Occipitales.** Entrelaza las manos apoyando los pulgares debajo del cráneo. Tira de la cabeza hacia delante sin mover la columna. Sentirás el estiramiento en la base del cráneo.

◼ TRAS LA JORNADA LABORAL

Estos estiramientos son idóneos para quienes realizan trabajos repetitivos con los brazos, como peluqueros, albañiles, cocineros o personas que se pasan horas usando el ratón del ordenador.

1 **Infraespinoso.** Sostén un brazo con el codo flexionado a la altura del pecho. Con la mano del otro brazo sobre el codo, llévatelo hacia el cuerpo. Siente el estiramiento en la escápula.

2 **Supraespinoso.** Coloca el codo derecho de manera que repose sobre el brazo izquierdo. Agarra el pulgar derecho con la mano izquierda y tira con el codo izquierdo hacia el cuerpo.

Mantén los hombros bajos y relajados en todo momento.

3 **Extensores del antebrazo.** Este sencillo estiramiento es una buena excusa para hacer un pequeño descanso en las largas jornadas de laborales. Con el brazo completamente estirado, alarga la musculatura llevando el dorso de la mano hacia el antebrazo. Se puede forzar un poco, pero sin llegar al dolor, empujando un poquito con la otra mano.

CUIDAR LAS LUMBARES

Es una de las zonas que sufren más molestias. Estos tres estiramientos básicos, que no fáciles, ayudan a prevenirlas.

1. **Cuadrado lumbar.** Siéntate, apoya un brazo (el izquierdo, por ejemplo) en el suelo y cruza el otro y la pierna del mismo lado por delante. Extiende al máximo el brazo sobre el que te apoyas y siente cómo se estira el costado.

2. **Psoas.** Colócate como en la foto, con la pierna derecha separada del banco. Notarás que se estira el psoas, un músculo que va de la columna al fémur pasando por la pelvis. Este músculo es esencial para la movilidad de la cadera.

DESTENSAR LAS PANTORRILLAS

Estos estiramientos descargan y relajan la parte inferior de las piernas. Dos minutos bastan para distenderlas.

1. **Soleo.** Apoya el pie izquierdo en la pared, con la rodilla ligeramente flexionada. La pierna derecha se sitúa por detrás en equilibrio. Inclina la pierna y el tronco hacia delante para sentir tensión en la pantorrilla.

2. **Gemelos.** A diferencia del ejercicio anterior, la rodilla no se flexiona. Aprovecha un escalón para dejar medio pie fuera. La pierna que no se estira aporta equilibrio mientras se deja caer todo el peso corporal sobre la que se estira.

De este modo, poco a poco, las fibras musculares ceden y permiten estirarse un poco más.

Duración de los estiramientos. Se aconseja que cada uno dure al menos 30 segundos, pues hasta 90 segundos el músculo sigue elongándose.

Cuándo estirar. Es mejor realizar los estiramientos con el cuerpo «despierto», para lo que se puede caminar un poco por la casa o aprovechar para hacerlos después de una ducha caliente. En cualquier caso conviene empezar de manera suave para ir ganando amplitud gradualmente.

Si hay lesión. Hay lesiones en las que un estiramiento no ayuda, sino que puede ser contraproducente. Por ejemplo, en una rotura de fibras, hasta que no se tenga la seguridad de que está curada, estirar es peligroso.

PRESTAR ATENCIÓN

Los ejercicios no exigen mucho tiempo, pero sí una atención plena en lo que se está haciendo. Serán más eficaces si todo está en su sitio: articulaciones y músculos alineados, con los ángulos correctos entre las diferentes partes del cuerpo. Se trata de «sentir» el músculo que se quiere trabajar, localizarlo al ponerlo tenso y si se nota dolor, ser consciente de que se le exige demasiado y dejar de presionar.

CREA TU PROPIA RUTINA

Los ejercicios ilustrados de este capítulo proponen trabajar los grupos musculares básicos. Puede que no se adapten a las exigencias de tu dolor, por lo que te recomendamos que dediques un tiempo a buscar en ti lo que más te favorece y que sigas tu instinto. A partir de ahí puedes investigar en libros, en internet o con la ayuda de un profesional. Crea tu propia tabla y cada día, antes de la ducha o la cena, por ejemplo, practícala. Diez minutos de trabajo consciente proporcionan muy buenos resultados.

MOVERSE CON MÁS FLUIDEZ

Relajar el cuerpo, incluso mientras se realizan actividades cotidianas, es algo fácil e intuitivo gracias al método Trager. Con esta técnica, la rigidez y pesadez dan paso a una sensación de confort. El método Trager invita a experimentar sensaciones de libertad y fluidez, y lo hace a través del movimiento corporal, tras recibir lecciones específicas por parte de un profesional.

● Milton Trager (California, 1908-1997) fue durante su juventud boxeador, acróbata y bailarín. Consciente del gran esfuerzo que requerían sus entrenamientos, intentó adoptar una actitud diferente hacia su propio cuerpo; quería mejorar su rendimiento pero también experimentar más placer. Buscaba un movimiento más libre, más suave, más fluido. Descubrió que su mente podía transmitir un mensaje de ligereza y de libertad a sus músculos y a sus manos, y que a través de estas también podía transmitir ese mensaje a la mente y a los tejidos de otra persona. Estudió la carrera de Medicina, y en 1975 presentó su trabajo en público por primera vez en el Instituto Esalen de California. Hoy su método se enseña en más de 22 países y solo puede ser ejercido por profesionales certificados.

FLUIDEZ CORPORAL

El método ha sido utilizado con éxito para solucionar problemas de espalda, entre otros. Incrementa la movilidad, elimina la tensión excesiva porque mejora la coordinación y la postura y desbloquea las articulaciones, y proporciona una relajación profunda combinada con energía y vitalidad. Además, desarrolla la sensibilidad física y la conciencia corporal, favorece la paz interior, la lucidez y la intuición, aumenta la elasticidad de los músculos y la piel, y activa la circulación del fluido linfático.

UN MENSAJE AL INCONSCIENTE

Durante una sesión de Trager, el experto se mantiene en un estado de atención física, mental y espiritual para sintonizar con el presente, lo que engloba las sensaciones de su propio cuerpo, el lugar en el que está y la persona con la que trata. Invita a la persona a llevar la atención sobre su propio cuerpo. Se establece entre ellos una conexión a través del cuerpo del receptor. Una vez en sintonía, el profesional transmite un mensaje de ligereza y libertad a sus manos, gracias al cual contacta con los tejidos del receptor para llegar, en último término, a su mente inconsciente, donde quedan registradas las tensiones y los bloqueos. Por eso se dice que el método Trager no es un masaje, sino un mensaje. Con curiosidad, el profesional busca un movimiento cómodo, sin esfuerzo, que se ajuste a

■ UNA SESIÓN

1 **El método Trager** consta de un tratamiento personalizado en camilla y unos ejercicios (Mentastics) que promueven la relajación y el bienestar. Consiste en movimientos vibratorios o que aprovechan la gravedad para liberar el cuerpo y otorgarle mayor relajación y facilidad de movimiento. El objetivo es modificar los patrones mentales que están en el origen de los patrones corporales que favorecen la enfermedad.

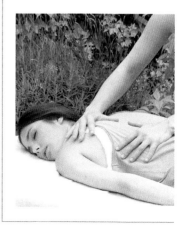

MOVIMIENTOS MÁS CÓMODOS

Atender a cómo repartimos el peso sobre la planta de cada pie puede ayudarnos a sentir mejor cómo nos movemos.

Fija la mirada en un punto al frente para mantener mejor el equilibrio.

1 **Levantar.** Lleva el peso del cuerpo sobre una pierna y levanta poco a poco la pierna contraria como si alguien tirara hacia arriba mediante un hilo atado a esa rodilla. **Dejar caer.** Sin parar, deja caer la pierna al suelo y haz una pausa para percibir la vibración que produce este movimiento. Repite varias veces (también con la otra pierna) intentando reducir el esfuerzo.

SOLTAR LOS HOMBROS

Las tensiones se producen y se mantienen sin darse cuenta. Fíjate en si tienes los hombros elevados o contraídos.

1 **Con un hombro.** Levanta un hombro ligeramente, sin llegar a la altura de la cara, y déjalo caer, rindiéndolo por completo a la fuerza de la gravedad, al peso del brazo.

2 **Percibir cambios.** Tras cada subida y bajada, detente a percibir los cambios, comparando ambos hombros. Continúa levantándolos y dejándolos caer a la vez.

■ RENDIRSE A LA FUERZA DE LA GRAVEDAD

Una forma de no realizar esfuerzos innecesarios que generan tensiones es no luchar inútilmente contra la fuerza de la gravedad. La consecuencia es mayor relajación y libertad de movimientos.

1 **Apertura y expansión.** Lleva primero una muñeca por encima de la otra y entrelaza los dedos desde esta posición. Luego se elevan los brazos por encima de la cabeza.

2 **Elongación.** Lleva el peso sobre el pie y la pierna derechos e inclina el torso hacia el lado opuesto. Nota la elongación de todo el costado derecho. Cambia de lado.

Hay que estar atentos a las sensaciones que proceden del cuerpo.

3 **Brazo colgando.** Lleva el peso del cuerpo sobre la pierna derecha y deja que el brazo, el hombro y el costado derechos cuelguen por sí solos. Realiza con el brazo y la mano un movimiento sutil que no requiera esfuerzo. Siente el brazo, el hombro y el omoplato. Vuelve al centro y observa si algo ha cambiado en las distintas partes del cuerpo. Cambia de lado.

■ VOLAR CON LOS BRAZOS

Este sencillo gesto permite aflojar la musculatura superior de la espalda y deshacer patrones corporales inadecuados.

1 Hacia un lado. Con los pies separados, rota el tronco hacia la izquierda. Los pies no se mueven del suelo y la mirada guía el movimiento. Los brazos se desplazan naturalmente hacia ese lado.

2 Con un impulso suave, sin interrumpir el movimiento, rota el tronco a la derecha. Los brazos casi vuelan. Con el giro a la derecha, desplaza el peso al pie derecho, y con el giro a la izquierda, al izquierdo.

■ COMO UN COLUMPIO

Los ejercicios del método Trager introducen una ondulación en los movimientos que aligera y desbloquea todo el cuerpo.

1 Lanzar los brazos. Los movimientos Trager crean la curva ondulatoria de una ola. La resonancia de esta ola se propaga a través de todo el cuerpo, desbloqueando y aligerando el cuerpo y la mente.

2 Flexionando las rodillas ligeramente dejan caer los brazos, que pasan por delante del cuerpo y se dirigen hacia la izquierda. Repite algunas veces, variando de amplitud; vuelve al centro y percibe el cuerpo.

los ritmos corporales del receptor. Al mismo tiempo, este encontrará un camino para llegar al movimiento en su propio cuerpo. Mediante la atención se activa el cerebro y el sistema nervioso, se graba en la memoria inconsciente la realización de un movimiento ajeno a las tensiones que antes producían dolor. El cuerpo y la mente se liberan así del malestar.

SIN ESFUERZO

Una parte de la sesión se realiza tumbado: la persona descansa sobre una camilla, vestida con ropa cómoda (no se usan aceites). El profesional aplica sutiles movimientos ondulatorios, tracciones, elongaciones, compresiones y vibraciones que reverberan por el cuerpo del receptor, transmitiendo a su sistema nervioso lo libre y ligero que puede sentirse. El método difiere de otras técnicas que fuerzan los tejidos y que llegan incluso al dolor. Cuando se encuentra un área de tensión, hay que abordarla de forma suave para ayudar a la persona a evocar cómo se siente libre de resistencia.

La segunda parte de la sesión –que dura en total de 60 a 90 minutos–, la conforman los ejercicios Mentastics. Se trata de una gimnasia creativa suave dirigida por la mente para aliviar al cuerpo de sus tensiones y encontrar mayor bienestar.

La persona no imita al profesional, sino que crea el movimiento que este le sugiere. Se pregunta sobre las cualidades ideales del movimiento corporal: suavidad, ligereza, libertad, facilidad, fluidez... Han de ser preguntas realizadas con una actitud abierta, paciente y relajada. Las respuestas llegan en forma de sensación. «Deja que el movimiento se produzca espontáneamente, no lo intentes», dijo Milton Trager. El intento implica un esfuerzo, y todo esfuerzo genera una tensión. En vez de intentar realizar algo, hay que permitir que aflore.

CÓMO EVITAR LAS CONTRACTURAS

Ya sea por un esfuerzo físico, agotamiento o tensión emocional, una contractura supone una señal de alarma a la que es inteligente atender. A veces con ella el cuerpo se protege de males mayores. Puede estar indicando algo que conviene revisar en la forma en que se vive, o incluso sobre lo que sentimos. Escucharla ayudará a aliviarla y a evitar cuadros más dolorosos y difíciles de tratar.

● Mientras una persona trabaja en la oficina siente una molestia entre el cuello y el hombro derecho. Con la mano busca un punto donde presionar. Encuentra un alivio momentáneo, pero el dolor persiste. Pasan las horas y la molestia sube hacia el cuello y alcanza la zona posterior de la oreja. «Si hubiera ido al masajista la semana pasada...», se dice. Al llegar a casa, el chorro de agua caliente de la ducha la relaja. El nudo de tensión, sin embargo, persiste. Tras sopesar si tomar o no un analgésico, se acuesta con la esperanza de levantarse mejor.

TIPOS DE CONTRACTURAS
Esta descripción corresponde a los síntomas de una contractura de carácter tensional. Sucede cuando la musculatura pierde su capacidad elástica y recuerda más a una cuerda que a una goma. A partir de ahí sobreviene el dolor. Suele tratarse de contracturas vinculadas a tensiones emocionales que se expresan de diferentes formas y en distintas partes del cuerpo.

Otras contracturas están vinculadas a un esfuerzo físico. Cuando el músculo ya no dispone de suficiente alimento para responder a lo que se le está exigiendo y, para protegerse, sus fibras se transforman en una bola. Es el famoso botón endurecido que encontramos a nivel superficial y que molesta al presionarlo.

También existen contracturas asociadas a un agotamiento o a una falta de fuerza, favorecidas por una alimentación deficitaria en ciertos nutrientes o por el declive físico asociado a la edad. Se trata de una molestia de aparición lenta y naturaleza crónica, que suele comenzar en la zona de los riñones. En ese estado, un agente externo –un golpe de viento, un día frío...– puede desencadenar el dolor.

UNA SEÑAL DE ALERTA
En todos los casos la contractura constituye una señal de alarma: es un mensaje que nos avisa de que nos estamos pasando y nos previene de consecuencias peores. Por ejemplo, un dolor lumbar puede ser una defensa al inmovilizar las vértebras y prevenir de ese modo un pinzamiento del nervio ciático. Muchas ciáticas se inician con ese patrón, y si se alivia la contractura con un masaje, podría darse en pocas horas un dolor muy agudo que descendiera por la pierna.

■ RELAJARSE

Siéntate en el suelo en una posición cómoda para ti, con las piernas cruzadas y los brazos relajados. Si la posición del «loto» de yoga te resulta difícil de mantener, puedes optar por la de «medio loto» (como en la foto) o sencillamente puedes apoyar los dos pies en el suelo. Si las rodillas se elevan por encima de las caderas, es preferible ponerse un cojín bajo los glúteos.

■ ESTIRAR SUAVEMENTE

Unos sencillos ejercicios que flexibilizan el cuello, estiran la musculatura de los hombros y alivian la tensión en la espalda pueden prevenir contracturas dolorosas en estas zonas del cuerpo.

Consciente de la respiración y del peso del cuerpo y sintiendo el movimiento.

2 **Apoya** las manos en el suelo tras la espalda, formando un ángulo recto (como se ve en la foto). Deja caer el peso sobre los brazos, sin doblar los codos. Siente cómo los músculos dorsales se abren. Respira profundamente para estirar la musculatura superior de los hombros.

3 **Deja caer** la espalda al suelo, une las manos bajo la cabeza, pon en contacto las plantas de los pies y siente cómo se estiran los abductores. Permanece así tres segundos y luego levanta las rodillas poco a poco, hasta que se toquen. Repite el ejercicio cinco veces.

1 **Al espirar,** deja caer la cabeza a un lado, sintiendo todo su peso. Al inhalar, enderézala, y al exhalar aire de nuevo, deja caer la cabeza hacia el otro lado. Repíte estos movimientos hasta cinco veces por cada lado, manteniendo una cadencia continua de movimientos. Con ellos flexibilizarás los músculos del cuello.

◼ FLEXIBILIZAR LAS PIERNAS

Con estos ejercicios estiramos los músculos tibiales de las rodillas y los músculos de la cadera para ganar flexibilidad y estabilidad en esta zona.

La postura tiene que ser cómoda, sin forzarla, con la espalda recta.

1 **Tumbado** como en la foto, entrelaza las manos por debajo de una rodilla y acércala suavemente al torso. Realiza tres flexiones con cada pierna. Al final, recoge las dos piernas.

2 **Lleva una rodilla** en dirección al hombro contrario. Repítelo tres veces con cada pierna. Estirarás la base posterior de la cadera, incluidos los músculos que la estabilizan.

3 **De rodillas,** apoyado cómodamente sobre los talones, con las plantas de los pies hacia arriba y las manos reposando sobre las piernas, siente al instante cómo se estiran los músculos tibiales de las dos rodillas. Con esta posición ganarás también flexibilidad en los tobillos. Se recomienda mantener la postura durante al menos unos cinco segundos.

◾ ABRIR LOS PECTORALES

Ejercicios para estirar toda la musculatura anterior de los brazos, hombros, pectorales y cuádriceps. Se acompasan con la respiración y con ellos se gana elasticidad y coordinación.

1 | **Tumbado** como en la foto, eleva las caderas hasta sentir cómo se estira la musculatura anterior de brazos, hombros y pectorales. Las rodillas, en línea con los tobillos. Repítelo tres veces ayudándote de la respiración.

2 | **Sentado** sobre los talones, deja caer los brazos atrás, con los codos en el suelo y las manos hacia delante. Los cuádriceps de ambas piernas se estirarán. Mantén la postura haciendo tres respiraciones pausadas.

El calor o una esterilla eléctrica pueden ser suficientes al principio para aliviar el dolor. Se puede realizar también algún estiramiento de los músculos contraídos. El masaje en estos casos es preferible dejarlo para un profesional. Asimismo, conviene valorar la posible causa: una mala postura al sentarse, zapatillas de correr inadecuadas, un conflicto personal... La limitación aguda y novedosa del movimiento apunta generalmente hacia algo que ha sucedido hace poco.

TENSIONES EMOCIONALES

La complejidad aumenta cuando las contracturas se generan en un contexto emocional. Los masajes eliminan el dolor de entrada, pero este retorna al poco con la primera situación estresante. El tejido muscular, tanto tiempo hecho una maraña, ha dejado de ser blando y elástico para tornarse rígido y duro. Hará falta más de

una sesión para relajar la zona y, en algún caso, será dificultoso recuperar la elasticidad de la musculatura porque la lesión ya no se halla en una capa superficial sino profunda. Con el tiempo puede agravarse y hacer perder la esperanza de volver a vivir sin dolor.

LA RELACIÓN CON EL HÍGADO

En estos casos, las medicinas orientales, que entienden el cuerpo como un todo, pueden ser una alternativa. Para la medicina china, el hígado y la vesícula tienen entre sus funciones el control de los músculos y tendones, aparte de encargarse de almacenar sangre, y el hígado se ve afectado especialmente por la rabia, la frustración y la contención. Al acumular estas emociones, el hígado se congestiona, lo que merma el flujo de sangre y estanca el canal por donde circula su *chi* (energía), causando dolor. Por eso, ante una contractura, lo primero que

suele tratar la medicina china es la tensión hepática para luego eliminar la sangre estancada. Con una ventosa (ver pág. 60) puede llevarla al exterior –a la piel–, provocando un hematoma llamativo pero sin efectos secundarios. Y por último los masajes ayudan a que la energía y los líquidos vuelvan a ponerse en marcha. Así se consigue un resultado duradero, tratando la causa, física y anímica, y no solo los síntomas.

MIRAR HACIA DENTRO

El cuerpo es más transparente que la mente y conviene escuchar lo que dice con una contractura. Podemos aprovecharlo para revisar la dieta, la actividad física o laboral y recordar que el estado anímico y los posibles conflictos emocionales dependen de uno mismo. Despertar al observador interior puede ser la medicina más eficaz y también la enseñanza de esa inoportuna contractura.

VENCER EL DOLOR DE FORMA NATURAL

El dolor, y sobre todo el dolor de espalda, constituye el motivo más frecuente de consulta médica y también de baja laboral. Generalmente, es la manera que tiene el cuerpo de avisar de que algo no va bien. En muchos casos las terapias naturales pueden aliviarlo de manera eficaz sin efectos secundarios, a la vez que abordan sus causas profundas y de ese modo previenen su reaparición.

● Algunos analgésicos tienen una larga lista de efectos secundarios. Entre los más graves figura la insuficiencia renal cuando se toman antiinflamatorios de forma regular durante mucho tiempo.

Por otro lado, combatir el dolor con un analgésico puede aliviar el malestar sin llegar a la raíz del problema. Con el tiempo, eso puede hacer que el dolor se instale de forma definitiva y que vaya apareciendo intermitentemente, con mayor o menor intensidad. Ante un dolor eventual y leve, cada persona tiene su propia manera de actuar. De hecho, con recursos sencillos se suele resolver el caso.

Por ejemplo, un baño de agua caliente en los pies al llegar a casa puede calmar una cefalea que se ha desarrollado tras pasar frío. Un suave masaje en los hombros permite disipar la tensión acumulada durante el día y prevenir futuras contracturas. Y aplicar una pomada con árnica o con menta es un modo de paliar el dolor por una leve torcedura de tobillo.

El problema surge cuando nos encontramos frente a un dolor más intenso o duradero, o bien que se presenta de forma cíclica. Es entonces cuando se hace preciso aplicar un tratamiento específico.

Veamos a continuación algunos de los dolores que se sufren con más frecuencia y cómo pueden tratarse de forma natural.

■ REMEDIOS NATURALES

Los dolores músculo-esqueléticos se pueden tratar con medios naturales, como aplicaciones de calor o plantas.

Calor. La recomendación general consiste en aplicar una compresa caliente durante 30 minutos.
Harpagofito. Posee principios activos con potentes efectos antiinflamatorios y analgésicos. Se toma 1 o 2 cápsulas de 250 mg cada 8 horas. Esta contraindicado si se sufre úlcera de estómago.
Árnica. El gel y la pomada, con o sin menta, alivian el dolor. Se masajea la zona dolorida, pero no se aplica en heridas. Está especialmente indicada en las contusiones.

EL DOLOR DE ESPALDA
Ante un dolor de espalda pertinaz, obtener un diagnóstico de un buen profesional es primordial.

Si se trata de una contractura, las manos de un buen terapeuta corporal pueden diagnosticar con exactitud qué está sucediendo y tratar el caso de forma adecuada, en ocasiones sin necesidad de que el paciente diga una palabra de lo que le pasa.

Tal vez el problema no se halle solo en la zona que duele, sino que tenga que ver con otras partes del organismo y se materialice en una concreta a través de la interacción de las cadenas musculares, las fascias y el tejido con-

En casa se puede reeducar el cuerpo tan bien como en un gimnasio.

Tal vez el origen del dolor no se encuentra donde se siente, sino que tenga que ver con otras partes del organismo, lo que solo puede ser descubierto por un buen profesional.

juntivo. En este caso, un experto en osteopatía o quiropráctica puede localizar y tratar manualmente la raíz de esos nudos.

La RPG (Rehabilitación Postural Global) trata este tipo de dolor con determinados ejercicios y posturas. De hecho, «reeduca» al cuerpo para que adopte las posturas adecuadas, con participación de la respiración. Se realizan suaves estiramientos musculares y se mantiene la postura correcta, con asistencia del terapeuta, que prescribe a cada persona los ejercicios que más le convienen. Se trabaja de manera global para descubrir el origen del problema, corregirlo y eliminar el dolor.

Un acupuntor, por su parte, sentirá en sus dedos los pulsos del paciente que reflejen el estado de sus diferentes órganos, así como los puntos de acupuntura que se muestren dolorosos. Uno de los más afectados suele ser el meridiano de la vesícula biliar, que transcurre por el cuello y el músculo trapecio del hombro.

Cuando esto sucede, además de una mala postura en el trabajo, también puede haber tensión nerviosa o rabia contenida. Se trata de una situación relativamente fácil de tratar a través de puntos de acupuntura locales y otros que se encuentran en las piernas y los pies.

HERNIAS DISCALES

La hernia discal suele producirse por un mal uso reiterado del cuerpo, y los traumatólogos suelen proponer una intervención quirúrgica. En cambio, el experto en RPG determinará cuáles son los errores posturales que han repercutido en la génesis de la hernia y prescribirá los mejores ejercicios para subsanarlos. Suelen realizarse estiramientos activos y pasivos que corrigen los acortamientos muscu-

lares que favorecieron ese cuadro, lo que libera la zona dolorida de su exceso de presión. Será entonces posible revertir la hernia, e incluso confirmarlo con tomografías (TAC) y resonancias (RMN) sin operarse, ni por tanto deteriorar la plasticidad y la capacidad regeneradora de los tejidos con la cicatriz subsiguiente.

LAS TENDINITIS

La inflamación de los tendones, que puede estar asociada o no al deporte, es un problema que afecta a numerosas personas. Con gran frecuencia el tratamiento convencional con fármacos antiinflamatorios no resulta suficiente, ni tampoco las sesiones de rehabilitación, las infiltraciones o la cirugía (pues esta a menudo no garantiza buenos resultados).

Sucede así, por ejemplo, en las tendinitis del hombro, las del codo, la trocanteritis de la cadera, la tendinitis rotuliana de la rodilla o la de la planta del pie. En estos casos las denominadas «ondas de choque», idénticas a las utilizadas para disolver los cálculos renales (litotricia), resultan de gran ayuda. La diferencia es que se aplican sobre el cuerpo sin sumergirlo en agua. Se trata de ondas que rompen los compuestos de calcio como si se tratara de piedras del riñón

Si la tendinitis no se encuentra calcificada, las ondas de choque producen analgesia por cambios en la transmisión nerviosa. Además, resultan antiinflamatorias. Para conseguir buenos resultados suelen ser necesarias entre tres y cinco sesiones.

El reposo también es importante, pues la restricción de actividades y

◼ EL RECURSO DE LAS CATAPLASMAS

Son aplicaciones tradicionales y naturistas que cualquiera puede preparar con productos accesibles.

Patata. Se hierven patatas con la piel hasta que se ablanden, se envuelven en un paño de lino o algodón, se aplastan para formar una pasta y se aplican sobre la zona afectada. Se indica sobre todo cuando el origen del dolor es interno.

Arcilla. Se amasa con agua muy caliente y se extiende una capa de 1 a 2 centímetros sobre un lienzo de algodón. Se cubre con plástico por la parte externa y se coloca sobre la zona afectada, dejándola actuar entre 40 y 90 minutos.

la relajación evitan el esfuerzo de la zona afectada y aceleran la curación. La persona tratada tendrá que ir con más cuidado de lo normal al realizar ciertos movimientos, especialmente aquellos en los que intervenga el músculo afectado.

ACCIDENTES PREVISIBLES

Cuando se sufren accidentes, leves o no tan leves, podemos preguntarnos, ¿por qué nos caemos un día cualquiera? Estamos en casa o en la calle, realizando un movimiento habitual, y de repente perdemos el equilibrio. Puede tratarse de un percance sin importancia o tal vez generar una lesión. Incluso puede que olvidemos la caída, pero quizá a los pocos días experimentemos un problema de salud mayor o un contratiempo vital.

Cuando el ritmo o la dirección que lleva una persona la alejan de su esencia, se torna más vulnerable. Algo en su interior reclama una pausa para reconsiderar la situación, sea familiar, emocional, laboral, espiritual... o quizá un poco de todo ello a la vez. Ocasiones para enfermar o desfallecer no faltan. El cuerpo aprovecha una de las múltiples que se presentan; entonces no queda más remedio que permanecer en casa unos días o incluso solicitar ayuda terapéutica.

Al reposar o al dejar de obrar por inercia se dispone de tiempo y perspectiva para analizar las cosas. Por eso se dice que a veces el dolor «ayuda a reconectar», porque se acompaña de todo un conjunto de sensaciones que puede ser útil descubrir y analizar.

UNA VÍA MÁS SALUDABLE

Ante el paciente que se queja de dolor, el médico o el terapeuta primero intentan distinguir de qué tipo de dolor se trata y qué estructuras corporales lo están causando. En caso de dolores recientes pero de gran intensidad, un tratamiento local puede ser más que suficiente. Pero los dolores crónicos es probable que exijan un cambio más a fondo de costumbres, estilo de vida y posturas.

La buena noticia para quienes sufren dolor agudo, o sobre todo crónico, o es que la medicina alternativa ofrece un abanico de posibilidades para librarse de él sin tomar fármacos o reduciendo su dosis, con el consecuente alivio del sistema metabólico y un más que merecido descanso para el hígado y los riñones.

QUÉ TERAPIA NATURAL ELEGIR

A la hora de optar por una u otra terapia natural es frecuente no saber bien qué hacer, pues la información sobre ellas acostumbra a ser confusa y limitada. Este capítulo ofrece las claves para escoger adecuadamente, tanto la terapia como el profesional. Incluye tests que ayudarán a reflexionar sobre los factores que deben tenerse en cuenta en el momento de tomar una decisión.

● Resultaría tranquilizador que para cada problema concreto de salud existiera un único tratamiento eficaz. En caso de caer enfermo solo habría que buscar la terapia correcta y acudir al terapeuta adecuado. De alguna manera ese es el razonamiento que propone la medicina oficial. La realidad, sin embargo, es que aumentan los enfermos crónicos para los que no hay una buena solución, y que incluso dentro de la medicina oficial se reconoce la existencia de distintas opciones ante un mismo problema. Se admite que el tratamiento puede variar en función de los conocimientos y la experiencia del médico o del dinero que se esté dispuesto a pagar.

En la práctica, el mero acto de escoger implica que se está participando en la propia curación y también significa que si un tratamiento no funciona, es posible que otro resulte eficaz. Pero donde se puede elegir existe el riesgo de no acertar, y las terapias naturales, muchas de las cuales no están reconocidas a nivel oficial en nuestro país, pueden mover a confusión.

UNA OPCIÓN PERSONAL

La mayoría de las claves para una buena elección tienen que ver con el paciente, que puede tener más o menos información sobre lo que le ocurre y sobre las opciones de tratamiento a su disposición.

En principio, es buena idea que el profesional elegido practique alguno de los grandes sistemas médicos; esto es, puede ser un médico convencional, un médico naturista, un médico homeópata o un experto en medicina china. Esas son las grandes concepciones globales, aunque hay otras especialidades muy válidas.

Para la elección de «médico general» hay que tener en cuenta lo que ofrece y si se adapta a los gustos y preferencias del paciente. Un médico

¿A QUÉ DAS PRIORIDAD EN LA SALUD?

De las siguientes ideas, elige las 7 que consideres más determinantes para conservar o recuperar la salud y cuenta las A y B.

1. Una dieta equilibrada y hábitos de alimentación sanos.

□ **A** Sí   □ **B** No

2. Mucho ejercicio físico y aire puro.

□ **A** Sí   □ **B** No

3. La habilidad para sobrellevar el estrés.

□ **A** Sí   □ **B** No

4. Practicar técnicas de relajación y disponer de tiempo para mí.

□ **A** Sí   □ **B** No

5. Seguridad material.

□ **A** Sí   □ **B** No

6. Desarrollo espiritual.

□ **A** Sí   □ **B** No

7. La familia y los amigos.

□ **A** Sí   □ **B** No

8. El flujo de la energía a través de mí.

□ **A** Sí   □ **B** No

9. Eliminación de toxinas y residuos.

□ **A** Sí   □ **B** No

10. Una estructura corporal que funcione precisa y eficientemente.

□ **A** Sí   □ **B** No

CONCLUSIONES

Mayoría de A: Tus creencias acerca de la salud se orientan hacia lo físico. El estado de tu cuerpo y de tu entorno son muy importantes para ti.

Mayoría de B: A la hora de recibir un tratamiento prefieres los enfoques psicológicos o energéticos. Crees que para la salud resultan determinantes las emociones, la armonía espiritual o la «fuerza vital».

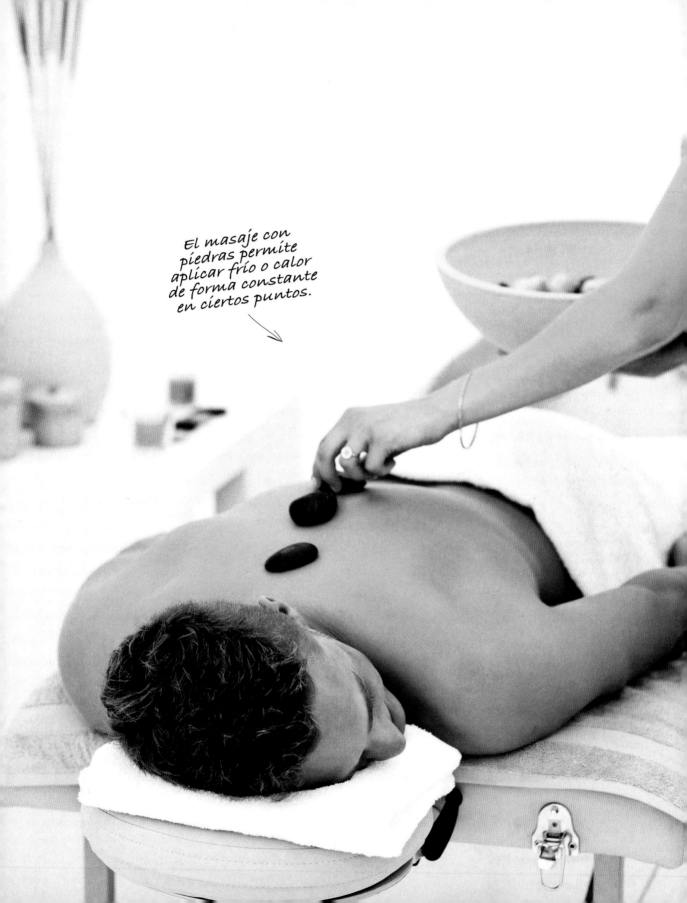

El masaje con piedras permite aplicar frío o calor de forma constante en ciertos puntos.

Es más fácil recibir un tratamiento adecuado que incluya diferentes terapias eficaces si se acude a un centro con variedad de profesionales y enfoques que trabajen en equipo.

convencional tiene a su disposición una gran cantidad de métodos diagnósticos objetivos y basados en la tecnología. Además, sus decisiones suelen estar basadas en protocolos que cuentan con el respaldo de la comunidad científica.

En cuanto al tratamiento, suele estar enfocado en la supresión de los síntomas, y para ello utiliza medicamentos que pueden presentar efectos secundarios indeseables. Sin embargo, a menudo las soluciones convencionales son las mejores, sobre todo en los casos graves que requieren intervenciones quirúrgicas o tecnológicas.

EN LA CONSULTA

El médico naturista dispone de los mismos medios para el diagnóstico, además de otros como la iridología o la reflexología, pero da más importancia al estilo de vida del paciente. Si el médico es homeópata, se interesa por el tipo de constitución psicofísica, y para establecerlo realiza un extenso cuestionario que va mucho más allá de los síntomas que presenta el paciente, buscando factores que lo desestabilizan.

Los médicos tradicionales chino, ayurvédico o tibetano observan el estado de las energías que gobiernan el cuerpo y la mente de su paciente. Para ello recurren a la entrevista, a la observación del aspecto general y de ciertas zonas del cuerpo y a la toma sutil de los pulsos. Para el tratamiento, utilizan una o varias de las terapias que constituyen la medicina tradicional, como la dieta, la fitoterapia, la acupuntura o los masajes.

Es posible que la primera elección de médico sea la definitiva porque el elegido inicie un tratamiento satisfactorio o bien se convierta en un guía hacia otras terapias. La experiencia de muchos pacientes muestra que los médicos convencionales no siempre muestran comprensión hacia los tratamientos con las terapias naturales. No obstante, cada día hay más profesionales con mentalidad abierta. En cambio, los médicos naturistas y homeópatas suelen conocer los distintos tratamientos naturales y pueden recomendar la consulta con otro terapeuta. Ante un dolor de espalda, por ejemplo, prescribirán sus remedios, y además pueden sugerir que se visite a un osteópata, a un psicólogo o a un especialista en relajación. Es más fácil que esto ocurra cuando varios profesionales trabajan en el mismo centro de salud. Además, es su obligación dirigir a su paciente hacia la medicina convencional cuando ofrece la mejor opción.

UNA APUESTA PERSONAL

A menudo el paciente ya cuenta con un diagnóstico y desea recibir uno de los muchos tratamientos naturales disponibles. Entonces es normal preguntarse cuál es el más eficaz. Pero la verdad es relativa: a veces la misma terapia que ayuda a una persona no consigue nada con otra que sufre un problema parecido. Para acertar conviene reunir toda la información que sea posible sobre la enfermedad y sobre las terapias que interesan. Hay que buscar opiniones distintas, hasta contradictorias, para formarse un criterio personal. Con suerte se llega-

¿TE RESPONSABILIZAS DE TU SALUD?

El grado en que alguien se siente responsable de su salud orienta hacia una u otra medicina. Señala la opción que refleje tu parecer.

1. Tengo el poder para curarme yo mismo.

☐ **A** Sí ☐ **B** No

2. Si tengo que ponerme enfermo, me pondré enfermo.

☐ **A** No ☐ **B** Sí

3. Si visito a un buen profesional de la salud regularmente tengo menos posibilidades de tener problemas.

☐ **A** Sí ☐ **B** No

4. La salud de que disfruto está muy influenciada por el azar.

☐ **A** No ☐ **B** Sí

5. Soy el máximo responsable de mi salud.

☐ **A** Sí ☐ **B** No

6. Necesito la ayuda de un médico.

☐ **A** No ☐ **B** Sí

7. Mi bienestar físico depende sobre todo de cómo me cuide.

☐ **A** Sí ☐ **B** No

8. Otras personas tienen que ver con si yo estoy sano o enfermo.

☐ **A** No ☐ **B** Sí

9. Cuando estoy enfermo, debo permitir que la naturaleza y el tiempo me curen.

☐ **A** No ☐ **B** Sí

10. Puedo estar mejor si tomo la responsabilidad sobre mi cuidado.

☐ **A** Sí ☐ **B** No

CONCLUSIONES

Mayoría de A: El bienestar es uno de tus objetivos y participas en los tratamientos.

Mayoría de B: Para ti, gozar de buena salud es en gran parte una cuestión de suerte.

El masaje puede aliviar tanto el dolor físico como el emocional.

3. ¿QUÉ TIPO DE TERAPIAS PREFIERES?

Las preferencias o aversiones personales son decisivas a la hora de elegir. Si la respuesta es no, pon una cruz en las dos opciones.

1. No me importa ser tocado o masajeado.

☐ **A** Sí ☐ **B** No ☐ **C** No

2. Me siento bien explorando mis sentimientos.

☐ **A** No ☐ **B** No ☐ **C** Sí

3. Me gusta la idea de que puedo utilizar la mente para curarme.

☐ **A** No ☐ **B** No ☐ **C** Sí

4. Estaría dispuesto a modificar mi dieta.

☐ **A** No ☐ **B** Sí ☐ **C** No

5. Puedo compartir mis experiencias.

☐ **A** No ☐ **B** No ☐ **C** Sí

6. Puedo hablar en privado sobre las cosas que me preocupan.

☐ **A** No ☐ **B** No ☐ **C** Sí

7. No me importa tomar pastillas.

☐ **A** No ☐ **B** Sí ☐ **C** No

8. Puedo tolerar la idea de ser pinchado.

☐ **A** Sí ☐ **B** No ☐ **C** No

9. Si tomo remedios me siento mejor.

☐ **A** No ☐ **B** Sí ☐ **C** No

10. Me gusta sentir que mi organismo está limpio.

☐ **A** No ☐ **B** Sí ☐ **C** No

CONCLUSIONES

Mayoría de A: Tiendes a sentirte bien con las terapias que implican contacto o movimiento.

Mayoría de B: Debes tener especialmente en cuenta las terapias que utilizan la dieta, las medicinas u otros remedios.

Mayoría de C: Te ayudarán las terapias que tratan la mente y las emociones porque estás abierto a investigar esos factores.

rá a la conclusión de que para nuestro problema de salud existen una, dos o tres terapias que se han demostrado eficaces con bastantes pacientes. Incluso es posible que sea adecuado un tratamiento combinado de varias de ellas.

Conviene informarse sobre el fundamento teórico de las terapias, aunque implique un esfuerzo de comprensión. Es importante estar abierto a otros puntos de vista y, sobre todo, tener en cuenta los resultados. Actualmente se habla de «medicina de la evidencia»: un tratamiento es válido si es eficaz, más allá de que se comprendan o no sus mecanismos de acción, algo frecuente, por ejemplo, en el caso de la homeopatía.

No hay que sorprenderse si un paciente recibe diagnósticos en «idiomas»

CUADRO COMPARATIVO
PRINCIPALES MEDICINAS Y TERAPIAS NATURALES

	EN QUÉ CONSISTE	SESIONES	INDICACIONES PRINCIPALES
MEDICINA NATURISTA	Se recurre a las dietas depurativas, las plantas, el ejercicio y el contacto con los elementos (agua, luz, aire, arcilla) para recuperar el equilibrio.	La duración de la sesión y del tratamiento está en función de la magnitud del problema.	Enfermedades por una alimentació inadecuada. Debilidad del sistema inmunitario.
DIETOTERAPIA Y NUTRICIÓN ORTOMOLECULAR	La dieta es un factor importante para mantener el equilibrio psicofísico. Los nutrientes y alimentos pueden utilizarse para curar.	La duración del tratamiento depende estrechamente del problema y el paciente: entre unos pocos días y toda la vida.	Colesterolemia, hipertensión, osteoporosis, enfermedades inflamatorias, alergias alimentarias.
HOMEOPATÍA	Tiene en cuenta las características individuales, incluyendo los temores y los conflictos anímicos. El objetivo es estimular el poder autocurativo.	La primera visita puede durar más de una hora. En función de los resultados se ajusta el tratamiento, cuya duración es muy variable.	Todo tipo de enfermedades, incluyendo las psicosomáticas, digestivas, alergias, asma, ansiedad
ACUPUNTURA	Insertando agujas muy finas en puntos exactos se restablece el flujo correcto de energía en los diferentes órganos y meridianos corporales.	Una sesión dura entre 30 y 60 minutos. Suelen ser necesarias de 3 a 20 sesiones. La mejoría suele notarse en pocas sesiones.	Todo tipo de dolencias (digestivas, nerviosas...), dolores por cualquier causa.
FITOTERAPIA CHINA	Las combinaciones de plantas chinas regulan las energías yin y yang de los diversos órganos, y junto a la dieta refuerzan el efecto de la acupuntura.	Según lo prescriba el experto en fitoterapia tradicional china. Son más comunes las fórmulas compuestas que las plantas simples.	Todo tipo de dolencias (digestivas, nerviosas...), migrañas, zumbido de oídos.
AYURVEDA	Medicina personalizada en función del predominio de uno de los tres humores –doshas–, incluyendo dieta, masajes y ejercicios psicofísicos.	Varían en función de la complejidad del problema y de la experiencia del terapeuta. En unas pocas semanas ya debe observarse mejoría.	Problemas digestivos, circulatorios, de la piel, anímicos, obesidad, estrés
REFLEXOTERAPIA	La planta del pie puede actuar como un espejo de todo el organismo. Presionando puntos concretos se puede incidir sobre órganos internos.	Las sesiones duran entre 30 y 60 minutos, y los efectos se pueden apreciar inmediatamente.	Trastornos dolorosos y alteraciones del tono muscular (estreñimiento, asma...).
OSTEOPATÍA	La manipulación de huesos, músculos y tejido conjuntivo sirve para restaurar la armonía entre los diversos órganos y sistemas.	La sesión dura 45 minutos y suele realizarse en intervalos de 14 días. En muy pocas sesiones suele apreciarse la mejoría.	Dolor postraumático, dolores de espalda, problemas articulares, migrañas, asma.
QUIROPRÁCTICA	Las manipulaciones precisas de la columna liberan el sistema nervioso y con ello promueven la salud de forma general.	Las sesiones duran pocos minutos. Se suele realizar un mínimo de seis sesiones, aunque pueden variar en función del problema.	Dolor de espalda, mareos, problema digestivos y menstruales, alergias.

Las plantas producen un efecto suave y equilibrado.

ONTROL ACIENTE	CONTROL TERAPEUTA	CUERPO	MENTE
♥♥♥	♥♥	♥♥	♥
♥♥♥	♥♥	♥	♥
	♥♥	♥♥	♥♥
	♥♥	♥♥♥	♥♥
♥	♥♥♥	♥♥	♥
♥♥	♥♥♥	♥♥♥	♥♥
	♥♥♥	♥♥♥	♥♥
	♥♥♥	♥♥♥	♥
	♥♥♥	♥♥♥	♥

distintos: hipotiroidismo, *chi* estancado en el bazo o exceso de *kapha* pueden estar describiendo el mismo cuadro, en palabras de un endocrino, un acupuntor o un experto en ayurveda, respectivamente.

Como regla general, si se cree que una alteración puede tener un origen emocional o nervioso, se puede encontrar ayuda eficaz con la homeopatía, distintas psicoterapias o incluso las flores de Bach.

Si por el contrario el problema parece esencialmente de tipo físico, se puede acudir a la osteopatía, la quiropráctica o los masajes orientales. Después de probar una primera opción, es posible que el terapeuta indique otra terapia que podría ayudar a completar el tratamiento.

ELEGIR EL PROFESIONAL
Una vez elegida la terapia, la selección del profesional es un paso crucial. Lo ideal es que se trate de una persona con formación académica, que si se presenta como médico ha de ser universitaria. Algunos diplomas extranjeros avalan una formación seria que no se puede o no se podía hallar en nuestro país, caso frecuente en la osteopatía, la quiropráctica o la RPG.

La humildad, la capacidad para escuchar, la tolerancia hacia las opiniones del paciente y hacia las otras opciones terapéuticas son rasgos positivos en un profesional de la salud.

La primera visita es el momento clave. No hay que dudar en hacer todas las preguntas precisas sobre el diagnóstico, la justificación del tratamiento, su duración y coste. La confianza en el terapeuta y sus métodos es un factor importante. Ante esa persona habría que sentirse lo bastante seguro y apoyado como para confiarle aspectos dolorosos e íntimos, que pueden tener relación con la enfermedad.

Por otra parte, un buen terapeuta nunca debe causar sentimiento de culpabilidad. Sí debe, en cambio, reforzar la responsabilidad del enfermo, decisiva a la hora de curarse o, cuando menos, de convivir de forma constructiva con la enfermedad.

2. INTRODUCCIÓN AL QUIROMASAJE

Dr. JORDI SAGRERA-FERRÁNDIZ

Médico naturista y Magister en Medicina manual y Osteopatía. Director de la Escuela de Masaje manual Dr. Sagrera-Ferrándiz.

TÉCNICAS MANUALES

LAS MANIOBRAS BÁSICAS DEL QUIROMASAJE

El masaje de los tejidos blandos de la espalda es una terapia de primer orden para prevenir alteraciones, favorecer la curación de dolores o disfrutar de una buena relajación muscular.

La espalda es la zona reina en cuanto a frecuencia de aplicación de masajes. El mero hecho de estar de pie, así como cualquier tensión, postura o desequilibrio, puede producir una sensación de cansancio o incluso dolor en sus músculos, sean superficiales o profundos.

LAS SECUENCIAS PREVIAS

Familiarizarse con la secuencia y las maniobras del masaje está al alcance de la mayoría de personas.

Toma de contacto. Se presiona ligeramente sobre las diferentes zonas de la espalda a fin de notar qué tono muscular presenta la persona, su grado de relajación y tensión y si esa presión le resulta molesta.

Exploración. Con las yemas de los pulgares se palpan las apófisis espinosas (prominencias óseas que surgen de la parte posterior de las vértebras) con un ligero rebote, sin brusquedad y de forma perpendicular, desde la zona cervical hasta el sacro. A continuación se movilizan las apófisis de forma lateral o transversa. Por último se palpan los cordones musculares paravertebrales con las yemas de los dedos de ambas manos.

Separación de cordones. Con el talón de las manos se aplica presión para separar los cordones musculares de la columna. Se realizan presiones en sentido descendente y ascendente.

Pases sedantes. Desde la nuca al sacro y del centro de la columna hacia los costados, los dedos realizan trazos de forma muy suave y lenta. Cada mano trabaja sobre una mitad de la espalda. Cuando una mano acaba en el sacro, la otra comienza en la zona de la nuca.

Vaciado venoso. A nivel superficial, se ejerce una presión constante desde el centro de la columna hacia los lados. Se va de arriba abajo y la secuencia se repite unas tres veces.

MANIOBRAS ESENCIALES

El masaje se inicia con suavidad, con maniobras que actúan en el plano superficial, como los distintos amasamientos –producen un aumento de la circulación sanguínea en los músculos y una relajación de las fascias–, y las presiones deslizantes. Poco a poco, se aplican luego técnicas que permiten acceder al plano miofascial, y desde allí se trabaja hasta el límite del dolor, teniendo presente que el masaje nunca debe resultar doloroso.

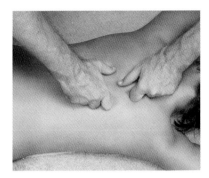

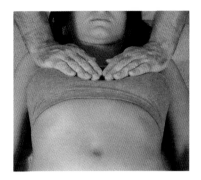

AMASAMIENTO NUDILLAR

Este amasamiento permite trabajar con más precisión que el digitopalmar (véase pág. 52), porque actúa sobre pequeñas porciones de músculo.

La maniobra se realiza con el pulpejo del dedo pulgar y los nudillos entre la segunda y la tercera falange, bien sea del dedo índice o con todos los dedos, según convenga. Los dedos han de efectuar pequeños círculos en esta posición, generándose entre el pulgar y los nudillos una especie de pellizco, que en el momento de máxima presión provoca que el tejido forme una especie de «S».

Durante el masaje, el pulgar ha de mantenerse siempre orientado hacia adelante y alineado con el antebrazo, a fin de no forzar las articulaciones ni los tendones.

El amasamiento nudillar puede ser simple o total:
Simple: Lo aplicamos únicamente con pulgar e índice. Esta manipulación se adapta perfectamente a determinadas partes del cuerpo como las apófisis espinosas de la columna vertebral, la zona cervical, el tendón de Aquiles o los costados del pie.
Total: Se emplea el pulpejo del pulgar y los nudillos del resto de los dedos. Está indicado en zonas amplias como la espalda y las extremidades. Resulta muy habitual en el masaje deportivo para trabajar zonas de gran masa muscular como la espalda.

BOMBEO

Resulta útil si se siente opresión en el pecho debido a ansiedad.

La persona se coloca boca arriba con el tronco algo elevado. El terapeuta se sitúa en el cabezal de la camilla, de manera que sus manos reposen bajo las clavículas del paciente y deja que este respire normalmente para así adaptarse a su ritmo respiratorio. Pide al paciente una inspiración y espiración profundas y lentas. Durante la espiración presiona suavemente para ayudar a la salida del aire. Al tomar aire no cede en la presión y en la última fase de la inspiración levanta con rapidez sus manos. No hay que realizar la técnica más de tres o cuatro veces consecutivas.

AMASAMIENTO DIGITAL

Está considerado como uno de los más importantes dentro del quiromasaje, ya que en la práctica interviene en todos los tratamientos.

Puede trabajarse con todos los dedos o solo con uno, dependiendo de la zona. Consiste en efectuar pequeños círculos con las yemas de los dedos. Estos círculos son independientes los unos de los otros, es decir, cada dedo realiza su círculo correspondiente. La mano ha de colocarse de forma cóncava, de manera que solo toquen la zona que se va a tratar las yemas de los dedos; estos permanecen ligera-

mente flexionados y separados por la misma distancia entre sí. Se realiza con las dos manos de forma alternada. Colocar las manos de forma cóncava permite que los dedos entren mejor en la estructura miofascial para producir el efecto necesario. Si los círculos son demasiado amplios, la profundidad de la maniobra se limitará a la zona subcutánea y no a la estructura miofascial como se desea.

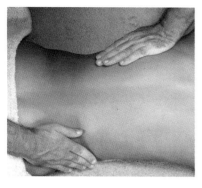
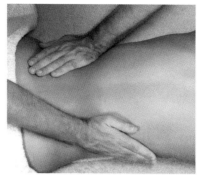

PRESIONES DESLIZANTES

Las presiones deslizantes son una de las maniobras más importantes dentro del quiromasaje, ya que intervienen en todos los tratamientos. Es preciso realizarlas siguiendo la dirección de las fibras musculares.

Las presiones deslizantes tienen como función alargar las estructuras miofasciales y provocar un desfibrosamiento. Para aplicar bien la maniobra y no dañar la piel es necesario utilizar una buena cantidad de lubricante.

Las presiones deslizantes pueden efectuarse con distintas partes de nuestras manos y antebrazos, y en función de estas y de la zona de aplicación reciben un nombre u otro. Así, por ejemplo, cuando se aplican en la espalda se las suele llamar coloquialmente *cepillo*. Por otra parte, cuando se efectúan en los isquiotibiales con el dorso de las manos, especialmente las primeras falanges, entonces lo denominamos *planchado*.

Conocer la estructura y anatomía de los fascículos musculares permite establecer la dirección adecuada a fin de poder alargar dichas estructuras de forma óptima.

Las presiones deslizantes se aplican normalmente después de los distintos tipos de amasamientos, salvo en el caso de que estos resulten dolorosos.

Existen distintas variedades a fin de adaptarse a diferentes posiciones y amplitudes de los grupos musculares. La forma de aplicación permite también múltiples posibilidades:

✔ Dedos pulgares, índice y corazón e incluso los cinco dedos, por ejemplo, en los laterales de la columna vertebral o en el antebrazo.

✔ Dedos y palma de la mano conjuntamente, desde la columna hacia los laterales de la espalda.

✔ En forma de planchado, con la mano flexionada y contactando con la piel a nivel de la primera falange. Resulta ideal para trabajar la musculatura isquiotibial.

✔ Únicamente con los dedos pulgares o bien con la base de la palma de la mano. Es una aplicación específica para el músculo tibial anterior.

✔ Con las dos manos bien encajadas, una delante de otra, se realiza una presión deslizante (vaciaje compresivo) en dirección al cráneo. Se aplica en extremidades y espalda.

✔ Con los antebrazos, manteniéndolos flexionados. Tanto en espalda como en extremidades inferiores en el caso de que la persona que recibe el masaje posea un tono muscular alto y fuerte (como sucede, por ejemplo, con los deportistas).

Sus efectos son: alargamiento de las fibras musculares, aumento de la circulación capilar, oxigenación del tejido muscular y relajación muscular.

ARROLLAMIENTO

Uno de los objetivos es separar y extender los músculos.

En esta maniobra, que combina presión deslizante y amasamiento, el masajista presiona y separa con la base de sus manos la musculatura a ambos lados de la columna, a la vez que imprime un movimiento pequeño pero rápido en sentido hacia la derecha y hacia la izquierda, indistintamente. En ese momento, y colocando su cuerpo en una posición de elevación, consigue que las manos se vayan deslizando hacia el lateral de la espalda sin perder el movimiento de zigzag ni la presión. Después arrastra las manos alternadamente hacia la columna con ayuda del movimiento de su cuerpo, llevándolo hacia atrás, recogiendo el tejido como si de un amasamiento digitopalmar se tratara, para comenzar de nuevo.

Presión con balanceo. Esta maniobra es adecuada en zonas donde exista una masa muscular gruesa. Consiste en apoyar la palma de la mano o bien las dos aplicando una presión semejante al paso del oso. Manteniendo la presión, se realiza un movimiento transversal en ambos sentidos al grupo muscular elegido, subiendo y bajando por toda su longitud. El efecto ha de ser relajante y se aplica de forma lenta.

■ MASAJE EN ESTIRAMIENTO

Se aplica de forma simultánea. Aúna un estiramiento muscular pasivo y una presión deslizante.

Se aplica el estiramiento de manera que nos quede una mano libre para trabajar. La presión deslizante debe efectuarse siguiendo la dirección de las fibras musculares y mantenerla mientras dure el estiramiento.

Efectuamos, pues, un estiramiento, llegamos a la barrera tensional y lo mantenemos. A continuación aplicamos la presión deslizante sin producir dolor pero lentamente, aumentando su profundidad hasta que desaparezca la sensación de tensión. Si por lo gneral un estiramiento dura entre 15 y 20 segundos, al aplicarle la presión deslizante se acortará, de modo que repetiremos el estiramiento y de nuevo la presión deslizante, y así sucesivamente hasta llegar a un máximo de un minuto en total.

Esta técnica debe aplicarse en los músculos superficiales, ya que en la musculatura profunda no se obtiene el mismo resultado.

La sinergia entre la presión deslizante y el estiramiento produce un alargamiento de la estructura miofascial, potencia el efecto de un estiramiento en el masaje y rompe las adherencias fibrosas. Están indicadas por ello en:
✔ Recuperación de lesiones musculares y articulares.
✔ Sobrecarga muscular.
✔ Insuficiencia venosa leve.
✔ Patología cardiovascular crónica.

No debe trabajarse en frío sino tras los amasamientos o al final del masaje. Y se contraindican en lesiones musculares y articulares agudas, contracturas inflamatorias, tendinopatia con bursitis, varices o si el estiramiento resulta doloroso.

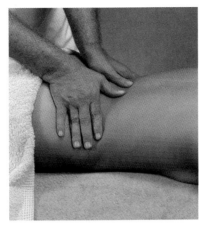 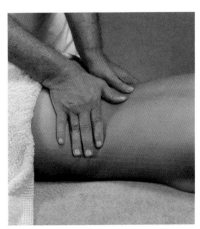
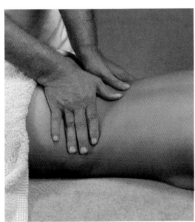 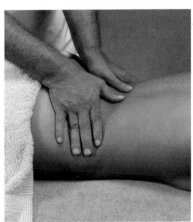

■ PRESIÓN ONDULANTE CON LOS PULGARES

Consiste en aplicar una presión lenta, que crea una «ola» de piel que va ascendiendo por la espalda. Las manos no se separan nunca de la piel.

Con los pulgares colocados en el canal existente entre las vértebras y los macizos paravertebrales, aplicamos una presión ascendente, lenta, en la que vamos flexionando los pulgares para dar la sensación de generar una ola que avanza hasta los trapecios. Sujetamos con las manos cada trapecio y efectuamos un amasamiento digitopalmar, sin desplazarnos, exprimiendo la masa muscular. Efectuamos una presión deslizante cruzada: mientras una mano permanece sin moverse y tracciona suavemente el trapecio y hombro hacia abajo, el pulgar de la otra mano cruza la zona cervical y se desliza presionando la musculatura cervical hasta el occipucio. A partir de aquí, el pulgar va regresando a su posición inicial y estira el hombro hacia abajo. Ahora será la otra mano la que con el pulgar cruzará la columna y se deslizará presionando, y así sucesivamente varias veces. Terminamos trabajando con amasamientos directos la región cervical, un amasamiento digital con unos círculos muy pequeños sobre la línea occipital y la inserción muscular de esta y una movilización del músculo occipitofrontal.

51

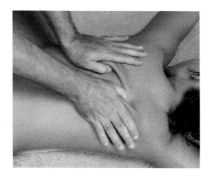

AMASAMIENTO DIGITOPALMAR

La finalidad de esta manipulación es estrujar el músculo como si de una esponja se tratara. Puede aplicarse sobre diferentes partes del cuerpo.

Este amasamiento se realiza apoyando la palma de la mano y amasando la región muscular comprendida entre el pulgar y el resto de los dedos. Es un amasamiento, no un pellizco, por ello no debe perderse el contacto de la palma de la mano con el tejido en ningún momento. Manteniendo adherida la mano a la piel, acercamos el pulgar a la base del índice estrujando la musculatura y soltándola como si fuera una pinza. Las manos trabajan de forma alternada, adaptándose a la anatomía de la zona.

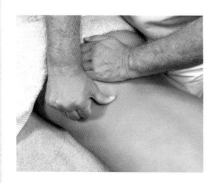

MASAJE EN NÓDULOS DE COPEMAN

Los nódulos de Copeman son endurecimientos del tejido conjuntivo subcutáneo que se localizan en las zonas lumbar, sacroilíaca y hombros.

Los nódulos, que aparecen sobre todo cuando existen problemas funcionales en la parte baja de la espalda y el sacro, se pueden palpar al realizar un tipo de presión fuerte y profunda. Deben ser trabajados de manera intensa –hasta el límite del dolor– y preferiblemente no en frío. Con una mano hay que sujetar el tejido, mientras con el pulgar de la otra se efectúan fricciones en todas las direcciones, para después aplicar una técnica de vibración denominada «slap de Moneyron» sobre el punto tratado.

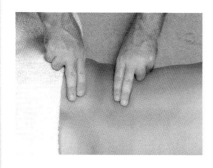

CEPILLO-PRESIÓN

Esta es una maniobra específica para el tratamiento de la sobrecarga en la zona lumbar y otros problemas relacionados con la zona sacra.

Se trabaja con los pulgares por un lado, y los dedos índice y corazón por el otro. Los colocamos siguiendo el borde de la cresta ilíaca y a unos cuatro dedos de distancia, desde los glúteos hasta el borde externo. Los dedos índice y corazón se deslizarán desde la columna hacia el otro lado de la camilla, mientras que los pulgares lo harán desde la columna hacia el masajista. La zona se enrojece un poco por la hiperemia desfibrosante.

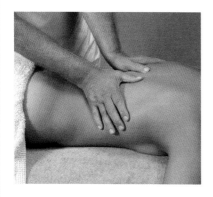

PRESIÓN RESPIRATORIA DORSAL ALTERNADA

La presión respiratoria dorsal alternada se realiza al mismo tiempo que la persona exhala el aire. Produce un efecto relajante inmediato.

La persona que recibe el masaje se coloca boca abajo, mientras el terapeuta, situado a la altura de su cadera, coloca sus manos sobre los costados y empuja de manera alternada en dirección hacia la cabeza. Las manos del masajista irán avanzando desde las últimas costillas hasta llegar a la parte alta de la espalda. La maniobra de presión puede realizarse una o más veces en función de la duración de la espiración. Es muy importante respetar el ritmo respiratorio del paciente, así como que este mantenga la boca abierta a fin de facilitar los movimientos respiratorios.

RAÍL DE VIGNOLE

Se trata de una técnica que consigue descubrir la localización de contracturas y otras alteraciones que están generando molestias.

Para realizar esta maniobra colocamos los dedos índice y corazón en forma de «V» sobre los cordones paravertebrales, dejando la columna situada entre ambos dedos. Tomamos la pelvis como punto de partida y vamos deslizando los dedos suavemente en sentido ascendente. Cuando aplicamos esta maniobra nos interesa descubrir con el tacto qué zona de la musculatura paravertebral se encuentra elevada, dolorida, endurecida o con crepitaciones. Es, pues, una maniobra de exploración, pero efectuada con mayor velocidad servirá también para alargar los cordones musculares. Luego trabajaremos sobre las zonas afectadas que hayamos descubierto.

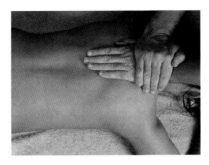
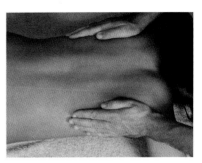

PRESIÓN DE LA 7.ª VÉRTEBRA CERVICAL

Se trata de una manipulación muy eficaz para descargar los músculos de la zona cervicodorsal. Debe efectuarse de forma lenta y progresiva.

La presión consta de dos tiempos. En el primero, la persona está boca abajo, con la frente apoyada sobre las manos o bien en el agujero facial de una camilla de masaje. El terapeuta se coloca en el cabezal, apoyando en la séptima vértebra cervical la zona media de la mano, con la otra mano apoyada encima de la primera vértebra para ejercer una presión en el momento de espiración del paciente. Esta posición se mantiene durante 15 segundos. A continuación, en el segundo tiempo, y sin cambiar de posición al paciente, se colocan las manos de forma plana sobre los laterales externos de las escápulas para de esta forma poder aproximarlas hacia la columna. Esta posición también se mantiene durante 15 segundos.

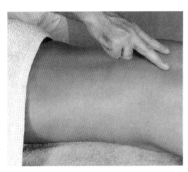

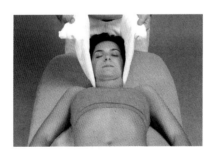
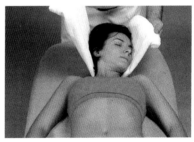

MOVILIZACIÓN CON TOALLA

Actúa relajando de forma indirecta la zona cervical. Es muy útil cuando el trabajo directo sobre la musculatura podría resultar doloroso.

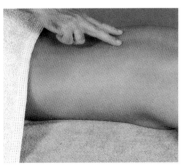

Esta manipulación tiene un notable efecto relajante, pero solo puede ser aplicada por un masajista con buena experiencia y formación. La persona reposa boca arriba. Colocamos una toalla de tamaño mediano, doblada a lo largo, bajo la zona del occipital. Sujetando los extremos, elevamos la toalla, evitando que la cabeza caiga hacia atrás, y empezamos con un leve movimiento de rotación que irá aumentando progresivamente en amplitud. Cuando se llega al máximo de rotación hacia la derecha y hacia la izquierda, se va disminuyendo el movimiento hasta llegar de nuevo a la posición de reposo. Toda la maniobra debe practicarse a un ritmo muy lento.

EL MASAJE CON ACEITES ESENCIALES

El uso de aceites esenciales, mezclados con un aceite de base, potencia los efectos del masaje. La aromaterapia es un buen recurso en las terapias manuales, pues incide tanto sobre los aspectos físicos como sobre los psíquicos y emocionales. Pero como emplea sustancias potentes, su uso exige conocer bien las propiedades de cada aceite a fin de aplicarlo de forma segura.

● Los aceites esenciales concentran los principios activos de las plantas de las que proceden. La aromaterapia los utiliza con una finalidad terapéutica. Proviene de la fitoterapia, que de forma milenaria ha utilizado las plantas en una infinidad de usos.

La aromaterapia como se conoce actualmente surge en Francia a principios del siglo XX, a partir de los estudios de René Maurice Gattefossé y el doctor Jean Valnet, que investigaron y experimentaron las propiedades de los aceites esenciales. En Gran Bretaña destacaron los trabajos de Robert Tisserand.

El efecto físico que provocan las manos al realizar masaje (circulatorio, descontracturante, relajante...) se potencia utilizando los aceites esenciales adecuados para cada tratamiento. Así, una contractura de tipo mecánico no requerirá los mismos aceites esenciales que una contractura por estrés o de tipo emocional. La aromaterapia permite, pues, personalizar el masaje aún más y mejorar los resultados.

Los aceites esenciales actúan a diferentes niveles en el organismo y el grado de complejidad al que puede llegar es muy elevado, pues inciden a nivel físico, mental y emocional. En este capítulo, de todos modos, nos centraremos en los efectos físicos que pueden generar y que pueden ser de utilidad en el masaje.

UNA CONEXIÓN EMOCIONAL

El aroma del aceite esencial produce un efecto directo sobre el cerebro, que explica parte de sus propiedades terapéuticas.

Los olores actúan sobre el sistema límbico y el hipotálamo, los centros cerebrales responsables de las emociones y los instintos, que además se relacionan con la memoria y la secreción de hormonas. Por ello, los aromas tienen el poder de influir sobre los sistemas nervioso, inmunitario y endocrino. Todo olor nos recuerda a algo o a alguien y es capaz de provocar una respuesta compleja del organismo entero. En el masaje, el aceite puede reducir la tensión mental, mientras las manos alivian la física.

¿QUÉ ES UN ACEITE ESENCIAL?

Es una sustancia que procede de plantas frescas, que los generan en su interior y en diferentes partes (hojas, flores, frutos, corteza, semillas...). Permite a las plantas adaptarse al medio en el que viven, porque sus cualidades las defienden de los insectos, los hongos, los parásitos o animales que podrían comérselas.

Se necesita gran cantidad de planta fresca para obtener una pequeña cantidad de aceite esencial, pero unas pocas gotas de este ejercen efectos poderosos. Los aceites esenciales presentan ciertas características que los definen:

Los aceites esenciales se emplean en dosis ínfimas: unas pocas gotas en un aceite base.

- No se mezclan en agua, pero sí en aceites vegetales o alcohol.
- Son muy volátiles.
- Contienen gran cantidad de componentes químicos diferentes (como alcoholes, fenoles, ésteres, éteres, cetonas, aldehídos...) y la proporción mayoritaria de uno u otro tipo de familia química determinará sus efectos terapéuticos.
- Al tratarse de sustancias orgánicas deben protegerse de fuentes de luz y calor para que conserven sus propiedades. Por eso los aceites esenciales se presentan en envases de vidrio no trasparente (nunca de plástico) y se mantienen perfectamente cerrados para evitar la oxidación.
- Se obtienen mediante diferentes métodos, como la destilación, por presión o mediante disolventes...
- Todos poseen propiedades antiinfecciosas como característica general.

En la denominación de un aceite esencial debería constar la nomenclatura taxonómica botánica (nombre científico de la planta), la procedencia, la obtención y el quimiotipo.

La denominación «aceite esencial» se aplica de forma genérica, aunque deberían definirse así únicamente los obtenidos por destilación. «Esencia» debería reservarse para designar las sustancias obtenidas gracias a métodos donde no existen procesos químicos (por ejemplo, el calor) que podrían alterar las propiedades originales de la planta fresca. Los cítricos, cuyas esencias se extraen mediante prensado, constituyen un ejemplo de «esencias».

En aromaterapia el conocimiento de la especie botánica es muy importante. Existen familias botánicas con especies muy semejantes pero con propiedades diferentes. Un ejemplo sería la familia labiadas (o lamiáceas), donde hallamos el género *Lavandula*, con especies como la lavanda, el espliego o el lavandín.

ACEITES QUIMIOTIPADOS

El término quimiotipo se refiere a la «raza química» que posee el aceite esencial, es decir, el o los componentes mayoritarios que definen sus propiedades terapéuticas de base. Por tanto, que un aceite esencial está quimiotipado (AEQT) significa que ha sido analizado y ofrece unas garantías añadidas sobre los efectos terapéuticos que cabe esperar.

CONTRAINDICACIONES

- Los aceites esenciales son sustancias extremadamente concentradas, por eso nunca deben tomarse por vía oral, salvo prescripción médica.
- Algunos aceites esenciales y esencias son fotosensibilizantes, es decir, pueden alterar la distribución de melanina en la piel por incidencia del sol. En estos casos se aconseja no tomar el sol las horas posteriores a una aplicación de estos aceites. Básicamente, aunque no de forma única, hallamos esta característica fotosensibilizadora en las esencias cítricas: bergamota, naranja, limón...
- No deben aplicarse sin diluir sobre la piel, salvo algunas excepciones. El aceite común de almendras dulces o el de jojoba suelen ser una de las bases más utilizadas para diluir las escasas gotas de aceite esencial que se emplean en un masaje.
- Algunos aceites esenciales están contraindicados de forma absoluta en embarazadas por sus propiedades potencialmente abortivas o por sus posibles efectos en el desarrollo del feto.
- En niños, cuya masa corporal es inferior a la de un adulto, la dosificación ha de tenerse en cuenta para utilizar una concentración adecuada. Normalmente es la mitad que la de un adulto. En personas ancianas o incluso personas de piel muy sensible, puede seguirse la misma precaución a fin de evitar posibles problemas.

En el mercado pueden encontrarse multitud de aceites esenciales. Nos centraremos en diez de uso habitual en Quiromasaje, comentando algunas de sus características.

ÁRBOL DEL TÉ

Este aceite esencial se extrae de las hojas de un árbol australiano (*Melaleuca alternifolia*) y no tiene nada que ver con la planta del té, que pertenece a otra familia botánica. Se trata de un gran

◼ LAS ESENCIAS Y EL ACEITE BASE

Para crear un aceite de masaje, las esencias deben diluirse con un aceite base vegetal de primera presión en frío.

Los aceites bases más utilizados son los de almendras dulces, de caléndula, de jojoba y de pepita de uva por su estabilidad, neutralidad y afinidad con las características de la piel. En cambio, no se recomiendan los aceites obtenidos del petróleo (parafinas), que pueden taponar los poros.

Concentración habitual. Por cada 20 ml de aceite base, suele ser de 10 gotas de aceite esencial para tratamientos corporales. Y la mitad, 5 gotas, para tratamientos faciales o de otras zonas sensibles.

Los aceites esenciales se pueden clasificar por sus efectos en dos grupos principales: los estimulantes y los relajantes. Después, cada aceite posee propiedades más específicas.

desinfectante de amplio espectro, útil ante infecciones bacterianas, víricas, fúngicas y antiparasitario. También presenta como característica la capacidad de estimular el sistema inmunitario.

Posee un aroma muy intenso y medicinal. Está indicado en tratamientos de acné, picaduras de insectos, hongos (candidiasis, pie de atleta...). Es un aceite esencial muy utilizado en masajes de pies, por sus propiedades desinfectantes. Existen diferentes quimiotipos, el más seguro para

la piel es el Terpineol-4, el cual puede aplicarse directamente sobre la piel, sin diluir, en caso de necesidad.

CIPRÉS
Cupresus sempervirens es un árbol típico de la región mediterránea. Para obtener el aceite se destilan las hojas, ramas y piñas. Su característica fundamental es que es muy astringente y elimina el exceso de líquidos, lo cual lo convierte en drenante y depurativo. También posee un efecto venotónico, por todo ello estará indicado

en celulitis, edemas de miembros inferiores, sudoración excesiva y varices. También posee compuestos que actúan como hormonas femeninas (fitoestrógenos). En la mayoría de los casos este efecto estrogénico –aunque es mucho menos potente que el de las hormonas sintéticas o el de las producidas por el propio cuerpo– resulta muy beneficioso, pero en personas con ciertas patologías oncológicas puede estar contraindicado, por lo que se debe evitar su uso o consultarlo con el médico especialista.

Si en el masaje se han utilizado aceites cítricos como el de limón y el de naranja, que son fotosensibilizantes, después conviene proteger la piel del sol para evitar la aparición de manchas.

ROMERO

Este arbusto (*Rosmarinus officinalis*) es muy conocido en Europa y sobre todo en el Mediterráneo. Existen diversos quimiotipos. En el campo del masaje interesa especialmente el quimiotipo alcanfor, pues presenta mayor eficacia para el trabajo descontracturante muscular. El quimiotipo cineol aporta mejores resultados a nivel respiratorio y el quimiotipo verbenona es fuertemente desinfectante por su alto contenido en fenoles, si bien presenta mayor toxicidad e irritabilidad a nivel cutáneo.

Tiene un efecto antinfeccioso elevado, es estimulante, antiálgico, circulatorio y descontracturante. Está indicado ante dolor muscular, problemas circulatorios, astenia y fatiga. Su efecto sobre la circulación y el sistema nervioso es potente, de modo que se desaconseja su uso en personas que padezcan hipertensión.

SÁNDALO

La gran demanda de este aceite esencial amenaza las existencias de sándalo en la India, su zona de origen, por eso existen plantaciones en Australia. Para extraer el aceite esencial del árbol *Santalum album* se espera a que alcance un mínimo de 30 años de edad. Se obtiene de la parte más interna del tronco, una madera muy apreciada en construcción, ya que el aceite esencial la protege de las termitas. Presenta una fragancia densa y exótica, muy apreciada en perfumería como fijador. Su índice de volatilidad es bajo comparado con otros aceites esenciales. Por ello su aroma no se percibe tan intenso ni tan rápido, pero permanece más. En cuanto a los efectos terapéuticos, mejora la textura de la piel, es antidepresivo, descongestionante venoso y linfático. Es excelente en mezclas para el trabajo facial y tratamientos «antiaging».

LAVANDA

La más conocida proviene del sudeste de Francia, aunque actualmente puede encontrarse en muchos otros lugares. Su denominación botánica es *Lavanda angustifolia*. Su aroma suave, dulce y floral ha hecho que este aceite esencial sea el más conocido y utilizado en aromaterapia desde su inicio.

Se trata de un aceite calmante, equilibrador y regulador a todos los niveles, además de cicatrizante y antiinflamatorio leve. Debido a esas características forma parte de mezclas que se aplican en pieles sensibles o ligeramente irritadas, así como en el tratamientos de las personas con nerviosismo, ansiedad y estrés. Su baja toxicidad permite un uso directo sobre la piel (1 o 2 gotas), por ejemplo para aliviar el dolor de cabeza.

MENTA

El aroma de *Menta piperita* es bien conocido por todo el mundo, ya que forma parte de muchos productos de uso habitual. Su contenido en mentol le confiere el característico frescor.

Dado que puede irritar la piel si se utiliza en exceso, forma parte de las mezclas de aromaterapia en baja proporción. En niños menores de tres años el aceite esencial de menta está contraindicado, sobre todo si existen problemas respiratorios.

Se caracteriza por ser muy refrescante, estimulante, circulatorio y antiálgico, indicado, pues, en masajes de extremidades inferiores con problemas de circulación venosa. También presenta propiedades mucolíticas y es una buena ayuda para evitar el mareo en los transportes.

ELABORA TU PROPIA MEZCLA

Se puede crear una mezcla de aceites cuyas propiedades respondan a las necesidades concretas del paciente.

Pureza. Es fundamental que los aceites esenciales sean 100% puros (sin aditivos sintéticos) y si es posible ecológicos y quimiotipados. Al realizar una mezcla para aplicar en masaje debe tenerse en cuenta qué se desea conseguir y utilizar los aceites esenciales adecuados en la concentración correcta.

Variedad. Con tres aceites esenciales como máximo suele bastar. Por ejemplo, una mezcla relajante puede incluir 5 gotas de sándalo, 5 de ylang ylang y 20 de lavanda, en 125 ml de aceite base.

LIMÓN

La esencia de limón (*Citrus limonum*) mejor considerada en el mundo de la aromaterapia proviene de Sicilia. Es desintoxicante, depurativa, tonificante y circulatoria; útil en tratamientos de celulitis, adelgazamiento, hipertensión (por su efecto fluidificante sanguíneo) y astenia.

Se trata de una esencia cítrica, por tanto, es fotosensibilizante y no conviene aplicarla sobre la piel antes de tomar el sol.

NARANJA

La esencia de naranja dulce se extrae de la corteza de *Citrus sinensis* o naranjo dulce. De otra especie, el naranjo amargo (*Citrus aurantium*), se extrae el aceite esencial de neroli (de las flores o azahar) y también el aceite esencial petit-grain, de los frutos verdes y las hojas.

La esencia del naranjo dulce es calmante, sedante y cálida. Se utiliza en masajes relajantes y antiestrés. También forma parte de mezclas para masaje en niños, donde siempre tiene buena aceptación. Recordemos que al ser un cítrico debe tenerse en cuenta su efecto fotosensibilizante.

ALCANFOR

Se dice que fue Marco Polo el primer europeo que vio en China el árbol del alcanfor (*Cinnamomum canphora*). La esencia, que está presente en las ramas y el tronco, se utiliza para proporcionar calor, estimular la circulación y la respiración y, sobre todo, para desinflamar y aliviar los dolores debidos a los desgarros musculares.

Debe utilizarse en dosis bajas, con precauciones en mujeres embarazadas, niños menores de 3 años, personas con presión arterial alta o trastorno epiléptico.

CASTAÑO DE INDIAS

Este aceite esencial, obtenido de la corteza de *Aesculus hippocastanum*, un árbol de copa amplia y bonitas flores blancas, originario de los Balcanes, pero actualmente aclimatado a todas las zonas templadas, se utiliza con frecuencia en los masajes cuyo objetivo es estimular la circulación sanguínea de retorno, ayudando en el tratamiento de las piernas pesadas, las varices y la sensación de hinchazón. También se emplea ante la fragilidad capilar cutánea (cuperosis) y los calambres musculares.

EL MASAJE CON VENTOSAS

La aplicación de ventosas constituye una de las técnicas naturistas más antiguas y conocidas de acción directa sobre el cuerpo. Hay constancia de su uso en el Antiguo Egipto y la India, y también por parte de médicos clásicos como Hipócrates o Avicena. Hoy en día siguen empleándose en terapias naturistas y en medicina estética, así como en terapias manuales como el quiromasaje.

● El objetivo terapéutico de las ventosas es conseguir el equilibrio circulatorio entre los distintos planos de los tejidos blandos del organismo. La base de su acción consiste en provocar una presión negativa en el interior de la ventosa. Esto da lugar a un efecto de aspiración por dicha presión. Se produce así una eritrodiapedesis, que puede ser húmeda o seca, según pasen los hematíes directamente al exterior (previa escarificación) o a través de los capilares, sin romperlos (por ósmosis). Con ello se logra disminuir la congestión sanguínea interna y se produce un alivio del dolor. Existen diferentes tipos de ventosas:

Hemáticas. Antes de aplicar la ventosa, se desinfecta la zona y se aplica una escarificación cutánea, la cual producirá, junto a la aspiración, entrada de sangre en el interior de la ventosa. Su utilización debe restringirse a profesionales sanitarios.

Secas. Son las que resultan ideales como técnica complementaria en terapias manuales. Al aspirar con la ventosa se nota sensación de tirantez, pero nunca se debe sentir dolor. Esto indicará la intensidad de aspiración.

LAS VENTOSAS FIJAS

Las ventosas secas pueden ser de dos tipos según su forma de aplicación: fijas o móviles. Las primeras ejercen un efecto intenso a nivel circulatorio y producen un hematoma indoloro. Se aplican sobre uno o varios puntos determinados sobre la piel seca, exenta de lubricante para que puedan adherirse perfectamente.

El terapeuta debe ejercer una presión negativa sin escarificar la piel, eliminando el oxígeno en el interior de la ventosa (mediante aspiración o fuego) para que se produzca la reacción de absorción deseada.

El tiempo de aplicación es de 5 a 10 minutos. Los capilares cutáneos adquieren un color de rojizo a azulado, momento en que se debe quitar la ventosa y aplicar un gel vasoconstrictor (árnica o similar) a fin de disminuir en lo posible el hematoma que genera la ventosa.

▧ LOS TIPOS DE VENTOSAS

Se diferencian por la forma en que crean el vacío necesario para producir la aspiración (presión negativa sobre la piel).

Materiales y tamaños. La ventosa debe ser transparente, de cristal o metacrilato, ya que interesa ver siempre su interior para controlar el proceso. Sus diámetros oscilan entre 2-3 cm (ventosas pequeñas), 4 cm (medianas) y 5-6 cm (grandes).

Técnica de aspiración. Las ventosas más simples incorporan una esfera de goma que se aprieta con la mano para sacar el aire y al soltarla genera vacío. En otras se produce una combustión que consume el oxígeno alojado en su interior.

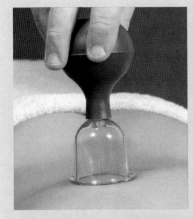
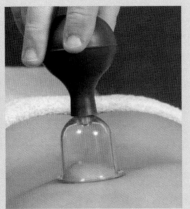
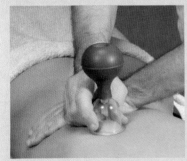

Masaje relajante en la espalda. Se efectúa al final del quiromasaje. Su velocidad de aplicación es lenta. Se empieza el masaje colocando la ventosa y aspirando hasta que el paciente nota sensación de tensión, pero no de dolor. Debe mantenerse dicha tensión. Desde la región anatómica del trapecio, se desciende por el cordón paravertebral hasta el sacro (meridiano de Vejiga), se sube por la columna vertebral hasta la zona dorsal superior (meridiano Vaso Gobernador), para descender otra vez por el paravertebral contrario, hasta conseguir cierta hiperemia. A continuación se trabajan los laterales de la espalda y por último se aplica gel frío para lograr una vasoconstricción.

Masaje estimulante. Se aplica de forma rápida desde la zona paravertebral hacia el costado, sobre la zona dorsal y lumbar. Primero un costado de la espalda y después el otro.

Masaje en las extremidades. Se aconseja básicamente en celulitis que no sean flácidas. Junto con el drenaje linfático manual son las técnicas de mayor utilización por sus buenos resultados. En la región externa del muslo la dirección será cráneo-caudal. En la región interna del muslo se aplica el masaje siguiendo la dirección de los músculos aductores.

En lesiones musculares puede aplicarse fuera de la fase aguda y sobre las adherencias fibróticas formadas. Los ejemplos típicos son los nódulos fibrosos y roturas fibrilares, sean de repetición o antiguos.

■ INDICACIONES DE LAS VENTOSAS

Las ventosas producen un efecto tanto sobre la zona aplicada como a distancia (reflejo). Pueden dejarse fijas o bien moverse.

Las ventosas fijas se utilizan en dolores agudos, como tendinosis aguda, lumbalgias, dorsalgias o contracturas musculares agudas.

Las móviles son adecuadas en dolores crónicos, fatiga, fibromialgia, ansiedad, celulitis (no flácida), contracturas y sobrecargas musculares.

No se debe realizar masaje sobre la zona después de haber colocado ventosas, y siempre se debe solicitar el consentimiento de la persona antes de colocarla.

EL MASAJE CON VENTOSAS

Las ventosas móviles tienen un efecto menos intenso, a nivel circulatorio, que las ventosas fijas, pero aun así producen una gran hiperemia. Para saber si su aplicación está indicada se efectúa un pinzado del tejido. Si existen adherencias o dolor entre piel y planos profundos, eso indica estrés del tejido y se aconseja su uso.

Se utiliza una ventosa para ir deslizándola por la piel y mantener la presión aspirativa. Se aplica siempre con una base de aceite o crema para facilitar su deslizamiento. La aplicación dependerá de la zona que se vaya a trabajar y de los efectos que se deseen obtener.

CONTRAINDICACIONES

Es preciso informar al paciente de que aparecerá un hematoma que se mantendrá unos pocos días. Nunca se aplicarán ventosas fijas en la región cervical, en la columna vertebral, sobre varices, heridas y cirugías recientes, ni tampoco en pacientes que toman anticoagulantes.

LAS PROPIEDADES DE LA ARCILLA

La aplicación en terapias manuales de fangos fríos o calientes es un complemento eficaz. La fangoterapia es una aplicación derivada de la geoterapia. En este caso el agente terapéutico es la tierra, y básicamente la arcilla, que se aplica como base, generalmente mezclada con agua. Resulta desintoxicante, antiinflamatoria y estimulante de la autocuración.

● La arcilla se obtiene de la descomposición de las rocas en partículas de tamaño ínfimo. Es un silicato alumínico que se puede encontrar mezclado con distintos oligoelementos que serán los causantes de los distintos tipos de arcilla. En función de estos la arcilla cambia de color, y puede ser: **Blanca** (incorpora caolín o kaolita). **Verde,** parda o gris y también en azul (por la presencia de magnesio o silicio). **Roja** (con hierro en forma de óxidos).

Las propiedades de la arcilla son múltiples: favorece la eliminación de toxinas, destruye bacterias cutáneas, absorbe energía solar y la transmite con acción antiinflamatoria y parece que estimula la energía del paciente, además de la de quien la aplica.

En tratamientos de belleza, como agente «antiaging», favorece la exfoliación biológica, mejora la oxigenación celular y activa la circulación a nivel de la piel.

APLICACIÓN POR ZONAS

En las situaciones agudas, la arcilla se aplica normalmente de forma local. Estas son algunas de sus principales aplicaciones:

Cervicales: latigazo cervical, síndrome vertiginoso, cervicobraquialgia. La persona permanece sentada con el fango frío en las cervicales.
Hombro: tendinopatías agudas, bursitis.
Codo: epicondilitis, epitrocleitis, bursitis.

Muñeca: síndrome del túnel carpiano.
Rodilla: patologías que cursen con inflamación aguda, como lesiones de menisco, esguinces, tendinopatía rotuliana, entre otras.
Tobillo: esguince externo o interno.
Pie: fascitis plantar.

FORMAS DE APLICACIÓN

En uso oral (ingerida), es conocida la acción antiinflamatoria y antiulcerosa con que la medicina naturista propugna su uso. Pero hay que tener mucha precaución, ya que sin un diagnóstico médico preciso podría dar lugar a complicaciones, como obstrucciones y perforaciones digestivas. En uso tópico se emplea tanto a nivel estético como terapéutico por las acciones antes mencionadas. La aplicación del fango se efectúa mediante una espátula de madera, sin tocarlo con las manos para evitar su contaminación, dada su gran capacidad absorbente.

FANGOS CALIENTES

Las indicaciones principales de los fangos calientes son la artrosis, la osteoporosis, el estrés y la fibromialgia, es decir, procesos crónicos.

Al mezclar arcilla en polvo ya filtrada y secada al sol con agua hirviendo se obtiene un fango caliente. Este fango puede aplicarse directamente sobre la piel (una capa no muy gruesa) o a través de una gasa estéril para evitar irritarla. A continuación se cubre con papel osmótico para que toda la

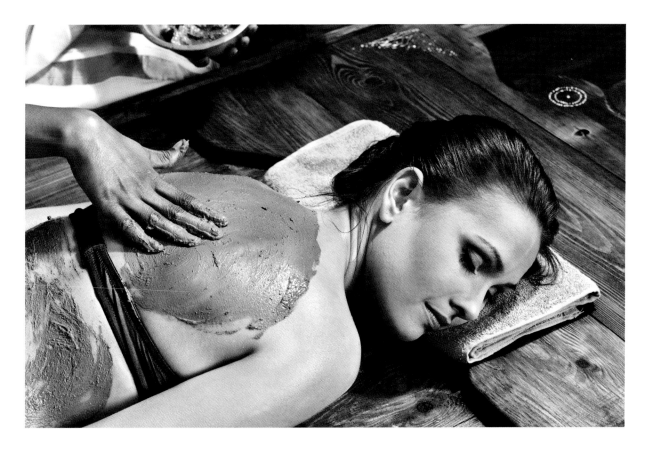

acción se dirija hacia la piel y se aproveche así todo su efecto terapéutico.

Una vez aplicado se deja durante unos 20 minutos, tiempo suficiente para retirarlo después con una esponja mojada o la ducha. El fango sobrante puede guardarse en un recipiente no metálico y volverlo a aprovechar calentándolo de nuevo al baño maría, nunca a fuego directo.

FANGOS FRÍOS

Son quizá los más utilizados en los masajes, y especialmente en casos de dolor agudo. Aunque pueden prepararse mezclando la arcilla con agua fría, existen en el mercado diversos fangos fríos ya preparados, que incluso tienen añadidos aceites esenciales. Si el dolor es muy intenso, el fango frío puede potenciarse con aplicación de hielo. Cada uno tiene su tiempo determinado: una hora para el fango frío y 20 minutos si se aplica hielo local.

La cantidad de fango frío ha de ser más o menos de 2 cm. Conviene respetarlo, ya que al envolverlo con el papel osmótico la presión podría dejar ciertas zonas apenas cubiertas.

La aplicación de fangos fríos va orientada a zonas con poco grosor muscular, ya que su efecto se diluye. Se aplica, por tanto, básicamente en articulaciones.

¿QUÉ SON LOS PELOIDES?

Se trata de un tipo de fango en el que se da una combinación de tierra y agua mineral (dulce o salada) con materia orgánica e inorgánica. Las materias orgánicas presentes en los peloides pueden ser residuos de sustancias vivas ya muertas y transformadas, ácidos húmicos, algas, hongos, líquenes, musgos, ferrobacterias, sulfobacterias, etc. Las materias inorgánicas más comunes son silicio, aluminio, calcio, sulfatos y nitratos.

Sus efectos terapéuticos son iguales o más intensos que los fangos normales. Los más conocidos son:

Lodos: gracias al contenido en minerales dan lugar a una transmisión óptima del calor.

Limos: tienen mayor presencia de elementos orgánicos y menor transmisión de calor.

Turba: destacan por la elevada proporción de componentes vegetales.

3. UNA VIDA SALUDABLE

UNA NUEVA VISIÓN DEL CUERPO

El cuerpo acoge las experiencias grandes y pequeñas de la vida, desde comer hasta trabajar, jugar o amar. Es un aliado permanente, además de una fuente de intuiciones para alcanzar una vida plena y enriquecedora. Tratar el cuerpo como un templo significa cuidar todas sus dimensiones, desde las más físicas a las más elevadas, con el fin de desarrollar todo su potencial.

● El cuerpo posibilita experiencias sublimes, pero también está sometido a la enfermedad, el dolor, el envejecimiento y, en última instancia, la muerte. Quizá por ello es apenas un punto de partida para las principales tradiciones espirituales, que de una u otra manera han dividido al ser humano entre el alma valiosa y la carne débil. El cuerpo no se ha librado nunca de la sospecha de que traicionaba las elevadas ambiciones del espíritu.

Es bien conocido el rechazo al cuerpo en la tradición religiosa occidental cristiana, pero también se ha producido en Oriente. El brahmanismo hindú comparte la visión del ascetismo cristiano cuando tacha al cuerpo de irreal o como una carga densa de la que hay que liberarse. Algunos textos budistas lo definen como una fuente de sufrimiento, y calificativos similares se pueden encontrar en el judaísmo y el islam.

Sin embargo, en las mismas tradiciones hallamos palabras que ensalzan el cuerpo como una materialización misma de la divinidad. La Biblia dice «el Verbo se hizo carne». El budismo de la escuela shingon, de tradición tántrica, se propone alcanzar la budeidad en el cuerpo. Por su parte, la escuela soto zen insiste en la necesidad de rendir la mente al cuerpo para conseguir la iluminación.

UN ALIADO DEL CRECIMIENTO INTERIOR

Desde ese punto de vista, el cuerpo es un aliado, un medio necesario incluso para el crecimiento interior y la vida plena. Puede entenderse como el templo que acoge las experiencias más intensas y significativas que un ser humano puede alcanzar.

En la práctica, cuerpo y alma están unidos o son la misma cosa. Para Jorge N. Ferrer, autor de *Espiritualidad creativa* (Ed. Kairós), sería deseable abrazar el cuerpo como una manifestación espiritual. Es posible aproximarse a él aceptando sus profundidades y sus banalidades, sus necesidades y sus deseos, sus luces y sus sombras. No es el lugar que encierra

■ CABEZA, CORAZÓN Y HARA

El trabajo sobre la respiración en actitud meditativa es un medio para integrar estos tres centros y disipar tensiones.

Hara. Ubicado debajo del ombligo, es el centro de la energía corporal y de las sensaciones viscerales. Es la fuente del contacto con la Tierra que permite moverse con presencia.
Corazón. Se considera el centro de la energía emocional, de la intuición y de la capacidad de amar y cuidar de nosotros y de los demás.
Cabeza. Es la sede del discernimiento y de las intuiciones. En ella reside la capacidad para liberarse de las visiones limitadas y acceder a niveles superiores de conciencia.

El yoga busca favorecer la conciencia corporal y aquietar las fluctuaciones mentales.

Otorgar al cuerpo dignidad significa detenerse a interpretar los mensajes –los síntomas, en caso de enfermedad– que nos envía y tratar de recuperar el equilibrio con medios respetuosos.

al espíritu como si fuera una prisión, sino más bien la forma que reviste el espíritu en el modo humano de existencia. El cuerpo puede ser el origen de intuiciones sobre el sentido de la vida más significativas que razonamientos filosóficos sofisticados.

El cuerpo es un medio creativo para la transformación espiritual que no se deja dominar por teorías intelectuales. A través de él –y no tanto de las palabras, los pensamientos o los comportamientos– se accede al tesoro que encierra el presente. Incluso las tradiciones que lo han rechazado aprovechan su potencial. Los monjes que renunciaban a la sexualidad perseguían una sublimación de esa energía que favoreciese el éxtasis místico. El tantra busca el mismo objetivo a través de relaciones sexuales rituales. Lo ideal sería disfrutar de una experiencia de todas sus capacidades, posibilitando una experiencia integral.

Considerar el cuerpo como un templo lleva a cuidarlo con una intención que va más allá del mantenimiento de la salud. O, en caso de enfermedad, a intentar curarse por vías naturales, no tanto combatiendo los síntomas como respetando la inteligencia del cuerpo, que puede emplear la enfermedad para favorecer un giro existencial o un cambio de hábitos y valores. El cuerpo puede ser un maestro incluso cuando está enfermo.

UN MUNDO PLENO DE SENTIDO

Más que evitar los trastornos se trata de favorecer el desarrollo de sus potenciales extraordinarios de vitalidad. Por eso técnicas como el yoga, el tantra, las artes marciales o la respiración holotrópica parten del cuerpo físico para acceder a objetivos espirituales o inmateriales. Mediante la alimentación, la respiración y la práctica de determinados ejercicios

se puede afinar su funcionamiento hasta convertirlo en un instrumento de conocimiento.

Este conocimiento debe comenzar por la base: el cuerpo físico. Es la puerta de entrada al templo, que nos permite sentir el mundo que nos rodea, las rocas, los árboles, las aves, las personas, las músicas, los olores...

Si fuéramos máquinas dotadas de sensores, los estímulos del entorno podrían traducirse a una serie infinita de datos físicos y químicos, pero somos seres humanos que transformamos esas impresiones en emociones e ideas que dotan de sentido a la vida. Un amanecer nunca dejará de parecernos impresionante. Una caricia será siempre un regalo y una música alegre nos invitará a bailar.

Cuando el cuerpo reposa, la energía más sutil toma el relevo. En la sala oscura del templo, los sueños traducen las impresiones del día al lenguaje profundo de la mente, articulado en torno a deseos, recuerdos de experiencias pasadas e imágenes dotadas de significados personales.

LAS CEREMONIAS DE CADA DÍA

Aunque en cada momento podemos estar con más intensidad en uno de los distintos niveles del cuerpo, estos se entrelazan inevitablemente. Sentimos el viento sobre la cara, el aroma que transporta nos trae un recuerdo y quizá por una décima de segundo nos embarga la conciencia de vivir en un milagro. Tratar el cuerpo como un templo significa cuidar todas sus dimensiones, desde las más físicas a las más elevadas, recordando que ninguna práctica se centra exclusivamente

■ LA VÍA DEL YOGA HACIA LA UNIDAD

Ciertas técnicas y actitudes permiten que el cuerpo exprese sus capacidades innatas y sirva como fuente de conocimiento.

Algunos textos indios clásicos afirman que las *asanas*, o posturas, tienen su origen en gestos espontáneos que surgen como consecuencia del flujo libre de la energía vital o *prana*. Al realizarlas con acompañamiento de respiración consciente y actitud meditativa se favorece la circulación de la energía. En una sesión de yoga, la conciencia se centra en el cuerpo, y este puede alentar vivencias inefables. Idealmente cualquier persona podría investigar con su cuerpo y crear su yoga personal.

en una de ellas. Lavarse, vestirse, beber, comer, saludar, dar, tomar, recogerse... cualquiera de esos actos puede encerrar significados en múltiples niveles, y todos cuentan.

El ejercicio físico, como los diferentes deportes o caminar, puede ser tan ritual como las técnicas que trabajan las energías sutiles (taichí, yoga, chikung, ciertos masajes), e incluso como los distintos tipos de meditación y visualización, que operan al nivel de la conciencia.

A lo largo del día y de la semana, hay tiempo para dedicarlo de manera equilibrada, y en consonancia con las características personales, a cada tipo de práctica. La combinación permite enriquecer la calidad de esta. Por ejemplo, al correr o ir en bicicleta ya no nos centramos en quemar calorías o ir más deprisa, sino que prestamos atención a la armonía de los gestos, a la respiración, a las sensaciones que experimentamos y a la relación con los otros seres vivos.

DEL ENTRENAMIENTO DE LA FUERZA EN EL TAICHÍ

El movimiento es una necesidad básica, y satisfacerla tiene efectos positivos sobre el estado de ánimo, la claridad intelectual y el bienestar general. El entrenamiento de la fuerza y de la resistencia, que a menudo se lleva hasta la sensación de agotamiento, nos familiariza con la capacidad para renacer e ir más allá de los límites.

Estas experiencias seguramente son tan importantes para el ser humano que explican en buena parte la práctica del deporte de alta competición o el alpinismo. Alcanzar la flexibilidad y el control del cuerpo que exhiben los gimnastas o los yoguis exige un esfuerzo proporcional, que va acompañado de conquistas interiores por las que no se reciben títulos.

Los practicantes de disciplinas psicofísicas desarrollan habilidades que permiten gestionar adecuadamente los estados mentales, emocionales y energéticos. Así cultivan la serenidad y crecen psicológicamente.

En el yoga o el taoísmo, por ejemplo, este dominio se refiere a la energía vital que desciende y asciende por el tronco como en un circuito cerrado. El fin último de estas prácticas es alcanzar tal fusión entre las estructuras físicas y energéticas del cuerpo que sea posible el despliegue de nuestros potenciales más extraordinarios.

TEST PARA EVALUAR TU FORMA FÍSICA

A menudo no es suficiente con hacerse una idea subjetiva sobre el propio estado de forma física o sobre los ejercicios más adecuados. Es conveniente comprobar mediante pruebas objetivas los grados de coordinación, flexibilidad, fuerza y resistencia. Reconocer la capacidad personal en cada uno de esos aspectos permite orientar mejor la actividad y aumentar el bienestar.

● Hace 2.500 años, Pitágoras dijo que «la salud es el silencio del cuerpo». Pero, sin querer corregir al sabio, no basta con no sentir molestias para afirmar que se está sano. La salud necesita ser cultivada y el cuerpo mejora con el entrenamiento. Conviene asegurarse de que nuestra estructura física mantiene una buena flexibilidad, coordinación, fuerza y resistencia. En este capítulo se proponen cuatro pruebas que permiten detectar debilidades y puntos fuertes, así como ejercicios para los diferentes niveles de estado físico y otros consejos para mejorar en cada aspecto.

Aquellas personas que suben escaleras, recorren las distancias cortas andando y de vez en cuando nadan, corren o van en bicicleta seguramente gozan de una buena condición física. No obstante, lo más probable es que existan deficiencias particulares que convenga corregir.

CÓMO SE HACEN LOS TESTS

Estos chequeos pueden parecer complicados solo a primera vista. Los valores más altos no parecen estar al alcance de cualquiera. Pero personas totalmente desentrenadas pueden conseguir buenos resultados en pocos meses si siguen las pautas recomendadas. En cualquier caso, lo importante no es lograr las cifras más altas, sino encontrar cierta armonía, un bienestar y acuerdo con uno mismo, lejos de los niveles más bajos.

Para empezar, lo único que se va a necesitar es un lápiz, una cinta métrica, un reloj con segundero, un escalón doble de aproximadamente 35 cm y si es posible un amigo que anote los resultados.

EJERCICIOS MÁS ADECUADOS

Es importante atenerse al orden establecido. Cada apartado concluye con una puntuación y una valoración para dos franjas de edad.

Al final de cada uno de los tests se obtiene una valoración y se ofrecen consejos sobre los ejercicios adecuados para potenciar los aspectos más deficientes.

Es una buena idea conservar estos tests para volver a realizarlos cada cierto tiempo –uno o dos meses, en función de la intensidad del ejercicio que se realice–. De ese modo se podrá comprobar la evolución y orientar la práctica de la actividad física.

■ EL RIESGO DE LA GRASA ABDOMINAL

Divide el perímetro de la cintura entre el de cadera (medida por los puntos más anchos). Si el resultado es superior a 0,8 (en mujeres) o 1 (en hombres) se está en mayor riesgo de sufrir trastornos graves. En ese caso, reduce la ingesta de grasas de origen animal y empieza a hacer ejercicio con moderación, aumentando poco a poco la intensidad.

Hacer ejercicio
de modo regular
es una garantía
de salud.

1 COORDINACIÓN PARA ARMONIZAR CUERPO Y MENTE

Mantener el equilibrio sobre una pierna indica capacidad de coordinación. Cuanto más positivo es el resultado, mejor se controla el cuerpo y más satisfecho se siente uno de él.

¿QUÉ HAY QUE HACER?

Descalzos sobre una superficie lisa y no deslizante, se levanta una pierna y las manos se mantienen apoyadas sin esfuerzo en las caderas. Se da como buena aquella posición que es capaz de mantenerse sin tener que hacer movimientos compensatorios para evitar perder el equilibrio.

VALORACIÓN

1. No se es capaz de mantener la posición durante cinco segundos, aunque sea balanceándose.
2. Se mantiene el equilibrio más de cinco segundos.
3. Se mantiene el equilibrio por lo menos diez segundos, aunque sea balanceándose en algún momento.
4. Se puede mantener el equilibrio al menos cinco segundos con los ojos cerrados, aunque sea balanceándose.
5. Se mantiene el equilibrio al menos cinco segundos con los ojos cerrados y los brazos estirados por encima de la cabeza.

PAUTAS

1 o 2 puntos. Significa que se tienen problemas con el equilibrio. Deben realizarse durante cuatro semanas los ejercicios que se describen más adelante y luego pasar a las variantes.

3 puntos. Es una señal de que el equilibrio es aceptable, pero puede mejorarse mucho. Deben hacerse dos semanas de ejercicios básicos y a continuación la variante.

4 puntos. Significa que esta capacidad de coordinación ya se ha desarrollado de modo idóneo. Ya se está preparado para las variantes.

Consejos para todos: deportes que potencian la coordinación son el bádminton, el patinaje, la gimnasia con balón y el mini trampolín. El yoga, el taichí y el chikung también son recomendables.

EJERCICIOS

Se recomienda realizar cada ejercicio o su variante tres veces por semana entre cinco y diez minutos.

A. Caminar sin moverse del sitio contando mentalmente, y al llegar a cuatro levantar durante unos segundos el pie que debería avanzar en ese instante. Hay que intentar hacerlo cada vez más deprisa. **Variante:** el mismo ejercicio pero sobre una base blanda, como un cojín o un colchón.

B. Caminar como un equilibrista sobre una línea trazada en el suelo. Se pueden hacer aspavientos con los brazos. **Variante:** saltar sobre un pie y avanzar sobre la línea del suelo agitando al mismo tiempo los brazos. Cambiar de pie cada minuto.

C. Colocarse de pie con las piernas ligeramente abiertas. Meter el estómago, echar los hombros hacia atrás y hacia abajo, mientras que la cabeza se mantiene enderezada y la mirada enfocada hacia delante. Hacer que el peso recaiga sobre la pierna izquierda, intentando mantenerse erguido. A continuación se levanta la pierna derecha y los brazos. Se incrementa la velocidad poco a poco y se cambia de pierna. **Variante:** realizar el mismo ejercicio con los ojos cerrados. Abrirlos solo un instante si se nota que se pierde el equilibrio.

■ PUNTOS SEGÚN LA VALORACIÓN				
– 45 años	1 y 2: 1	3: 2	4: 3	5: 4
+ 45 años	1: 1	2: 2	3: 3	4 y 5: 4
Puntuación obtenida:				

2 FLEXIBILIDAD PARA NO SENTIRSE LIMITADO

La flexibilidad viene dada por la elasticidad que posea la musculatura de la parte posterior de las piernas y la espalda. Si es óptima, el ejercicio resulta gratificante.

¿QUÉ HAY QUE HACER?

Siéntate en el suelo con la espalda recta, las piernas juntas y rectas y los brazos estirados hacia delante. Los pies se mantienen en ángulo recto. Realiza cuatro respiraciones lentas y profundas. A continuación, durante la espiración, inclina lentamente la parte superior del cuerpo hacia delante tanto como puedas. Mantén la nuca estirada, inclinando un poco la cabeza hacia delante. Para realizar la valoración, comprueba cuál es la posición que eres capaz de mantener sin dolor durante cinco segundos, observando la distancia que separa los dedos de las manos de los dedos de los pies.

VALORACIÓN

1. La distancia entre los dedos de las manos y los dedos de los pies es más de un palmo.
2. La distancia es aproximadamente de un palmo.
3. La distancia equivale a la longitud del dedo índice.
4. El dedo índice toca las puntas de los dedos de los pies.
5. Las puntas de los dedos de las manos se tocan con las puntas de los dedos de los pies.
6. Las manos cubren los dedos de los pies en toda su longitud.

■ PUNTOS LA VALORACIÓN

– 45 años	**1 y 2:** 1	**3:** 2	**4:** 3	**5:** 4	**6:** 5
+ 45 años	**1:** 1	**2:** 2	**3:** 3	**4:** 4	**5 y 6:** 5
Puntuación obtenida:					

PAUTAS

1 o 2 puntos. Existe riesgo de lesión. Debes realizar durante cuatro semanas los ejercicios básicos y luego, la variante.
3 puntos. Es un buen resultado, pero se puede aumentar la flexibilidad. Se recomiendan dos semanas de ejercicios básicos y pasar a la variante.
4 y 5 puntos. Muestran una flexibilidad mayor a la media. Empieza con la variante.
Consejos para todos: la flexibilidad se trabaja en casi todos los deportes. Muy buenas opciones son el tenis, los saltos de trampolín, la gimnasia sueca o la danza. El yoga, el taichí y el chikung potencian al máximo la flexibilidad. Antes de iniciar una sesión y al terminarla hay que realizar estiramientos.

EJERCICIOS

Conviene hacerlos tres veces por semana y repetirlos en cada sesión diez veces.
A. De pie, separa los pies a la distancia de las caderas. Levanta el brazo derecho y llévalo por encima de la cabeza en dirección al hombro izquierdo tanto como puedas. El brazo izquierdo se lleva hacia la derecha a la altura de la barriga cuanto sea posible. Mantén la tensión durante 20 segundos y relaja. Después repite hacia el otro lado.
Variante: se intensifica el estiramiento flexionando el tronco en dirección del brazo estirado y cruzando una pierna sobre la otra.
B. Siéntate en el suelo y flexiona la rodilla izquierda. Estira la pierna derecha. Coloca la mano derecha sobre el muslo y flexiona el brazo izquierdo por encima de la cabeza. Acerca la barbilla al pecho y deja caer los hombros. Mete la barriga hacia dentro y flexiona el tronco y el brazo izquierdo en dirección a la pierna derecha. Luego flexiona el codo del brazo derecho y colócalo sobre la rodilla izquierda. Se mantiene el estiramiento durante 30 segundos. Después repite flexionando la rodilla derecha.
Variante: coloca el brazo derecho con la palma mirando hacia arriba en el suelo o aguántate con él el pie.

3 FORTALEZA PARA SOSTENER Y MODELAR EL CUERPO

Los abdominales en forma son signo de fortaleza. Este test da una idea de cómo están y si cumplen sus cometidos: sostener la posición corporal y estabilizar la espalda.

¿QUÉ HAY QUE HACER?

Túmbate de espaldas con las rodillas flexionadas y las plantas de los pies apoyadas enteramente sobre el suelo. Las lumbares están en contacto con el suelo y los brazos reposan al lado del cuerpo y en contacto con este. Los dedos de las manos apuntan a los pies. Haz una marca en el suelo en el punto exacto en donde finalizan los dedos de las manos. Luego haz otra señal a 10 cm del punto anterior y en dirección a los pies. Ahora tienes que levantar la cabeza y los hombros e intentar alcanzar la segunda marca. Después vuelve a la posición inicial, pero sin dejar reposar la cabeza en el suelo y manteniendo la tensión abdominal. Ten en cuenta que el movimiento completo dura alrededor de tres segundos. Repite el ejercicio tantas veces como te resulte posible.

■ PUNTOS SEGÚN EL NÚMERO DE REPETICIONES				
– 45 años	<15: 1	16-19: 2	20-24: 3	25-29: 4
+ 45 años	<10: 1	11-15: 2	16-19: 3	20-24: 4
Puntuación obtenida:				

PAUTAS

1 y 2 puntos. Indican que los abdominales no tienen un desarrollo mínimo. Haz los ejercicios básicos dos veces por semana durante un mes.

3 puntos. Te sitúan dentro de la media. Practica los ejercicios básicos una vez a la semana y dos veces las variantes.

4-5 puntos. Sugieren un buen desarrollo. Realiza las variantes tres veces a la semana.

Consejo general: en la sala de aparatos del gimnasio se pueden entrenar zonas que normalmente no se trabajan.

EJERCICIOS

Comienza con diez repeticiones y auméntalas hasta las 20.

1. Túmbate boca arriba, con las piernas estiradas, las lumbares en contacto con el suelo y los talones apretados contra la colchoneta. Los brazos permanecen estirados junto al tronco. Tensa los abdominales y levanta ligeramente el tronco de manera que las manos se acerquen a las pantorrillas. Mantén la posición unos segundos y vuelve lentamente a la postura inicial.

Variante: cruza los brazos por delante y cerca del pecho, de manera que no presten ayuda a la hora de incorporarse.

2. Túmbate boca abajo, apoyando las puntas de los dedos de los pies en el suelo y manteniendo la cabeza ligeramente elevada. Tensa las nalgas y la barriga mientras estiras el brazo derecho hacia delante y el izquierdo hacia atrás (el dorso de la mano queda hacia las lumbares). No eleves demasiado el tronco, ni lleves la cabeza hacia atrás de manera forzada.

Variante: realiza el mismo ejercicio, pero con pesos de 300 a 500 g en las manos.

3. De pie, con las piernas abiertas a la distancia de las caderas, sostén en una mano una pesa ligera o una botella de agua llena. Flexiona ligeramente las rodillas, estira y levanta muy despacio el brazo hasta la altura de los ojos. Mantenlo un momento así y luego bájalo poco a poco. Repite con el otro brazo.

Variante: sostén el peso con las manos entrelazadas y llévalo hacia delante y hacia arriba.

4 RESISTENCIA PARA LA SALUD CARDIOVASCULAR

El test del escalón es un punto de partida para evaluar la resistencia, cualidad física indispensable para la ejercitación adecuada del corazón y el sistema respiratorio.

¿QUÉ HAY QUE HACER?

Lo primero que se debe hacer es tomarse el pulso. Para ello se cuentan los latidos en una muñeca durante 30 segundos y se multiplica el resultado por dos. A continuación hay que colocarse ante un escalón doble –unos 35 cm de altura– para subirlo y bajarlo con una pierna. Tras tres minutos se cambia la pierna. La velocidad depende del peso corporal: las personas de hasta 60 kg pueden subir y bajar hasta 30 veces por minuto; las de 61 a 80 kg, 25 veces por minuto; las de más de 80 kg, 20 veces. Tras finalizar el ejercicio se mide de nuevo el pulso. De este segundo resultado se resta el valor del pulso en reposo. Si se sufre alguna molestia en el pecho o se es hombre y se tiene más de 45 años o mujer con más de 55, se recomienda realizar una prueba de esfuerzo bajo supervisión médica antes de incrementar la actividad física.

PAUTAS

1 punto. Indica que la resistencia está en el mínimo. Se deben realizar los ejercicios propuestos dos veces por semana durante cinco minutos.

2 y 3 puntos. Indican un resultado mejorable. Se recomienda entrenar tres veces por semana durante diez minutos e ir aumentando el tiempo.

4 y 5 puntos. Significan que se goza de una resistencia de buena a óptima. El entrenamiento debe iniciarse con las variantes y dedicarles de 20 a 30 minutos.

Consejo general: conviene tomar medidas para reducir el sedentarismo e incorporar más movimiento en la vida cotidiana. Son actividades recomendables el footing, el ciclismo y la natación.

EJERCICIOS

A. Realiza un paseo a ritmo ligero y de vez en cuando da unos cuantos pasos trazando círculos con los brazos.
Variante: cada cinco minutos realiza un sprint de 30 segundos a un minuto de duración, según tu capacidad.
B. Salta a la comba sobre los dos pies o sobre uno.
Variante: aumenta la velocidad y cruza los brazos de vez en cuando.
C. Salta abriendo brazos y piernas al tiempo y tocándote las palmas de las manos por encima de la cabeza.
Variante: después de cada cuatro saltos ponte en cuclillas y estira alternativamente las piernas hacia delante (como los cosacos) y los brazos hacia arriba y atrás.

■ PUNTOS SEGÚN LA DIFERENCIA DE PULSOS					
– 45 años	>75: 1	70-74: 2	60-69: 3	55-59: 4	<54: 5
+ 45 años	>65: 1	60-64: 2	55-59: 3	50-54: 4	<49: 5
Puntuación obtenida:					

RECOMENDACIONES SEGÚN LA SUMA TOTAL DE PUNTOS

4 a 6 puntos La condición física es deficiente. ¡El ejercicio físico no se ha inventado para los demás! Hay que empezar subiendo las escaleras en lugar de coger los ascensores, bajando del autobús una parada antes...

7 a 10 puntos La forma física no es buena, pero es un buen punto de partida. En muy poco tiempo se pueden apreciar los beneficios de realizar alguna actividad física con regularidad como realizar largas caminatas o correr.

11 a 20 puntos El cuerpo responde bien (mejor cuanto más puntos). Seguramente ya se tienen hábitos correctos y solo hay que mantenerlos. Los tests pueden señalar los puntos débiles que conviene trabajar.

LA COMIDA Y LAS EMOCIONES

Es difícil separar la alimentación del placer y los sentimientos. Si las relaciones con la comida son positivas, es más fácil alimentarse de manera saludable. En cambio, si son conflictivas, pueden empujar la dieta hacia un desequilibrio más o menos grave. Pero toda situación puede modificarse. Hay que empezar por reconocerla y cultivar el placer de comer con plena atención.

● La relación personal con los alimentos está condicionada por las emociones desde los primeros momentos de vida. Al mamar, el bebé recibe alimento, placer y cariño, y se siente unido al universo. Los afectos hacen que comer no sea un acto mecánico y aburrido, sino una experiencia gozosa que nos colma en muchos sentidos. Pero si se viven conflictos emocionales, estos pueden trasladarse peligrosamente a la comida. Una carencia afectiva puede compensarse con un consumo excesivo de comida o puede estar en el origen de un rechazo patológico a ciertos alimentos. Las emociones nos empujan a comer o a dejar de hacerlo.

SENTIMIENTOS OCULTOS

Como afirma la psicóloga Isabel Menéndez en su libro *Alimentación emocional*: «Las luchas internas son acalladas con frecuencia a base de llenarnos la boca de comida para no pronunciar palabras cuya carga emocional puede asustarnos; palabras que se refieren a cosas que no nos permitimos sentir. La boca que se cierra y se abre a la comida es la misma boca que quiere hablar. El orificio por el que penetran los alimentos es el mismo por el que salen las palabras». Conocerse mejor a uno mismo es el reto. Las preferencias y costumbres alimentarias son decididas por una parte de uno mismo que se esconde. Por eso resulta tan difícil cambiar de hábitos. Es frecuente comportarse de forma contraria a como a uno le gustaría o incluso entablar relaciones con un componente destructivo. Cuando se sufre emocionalmente, cuando la realidad y los sueños parecen contradecirse y hay más tristezas que alegrías, es mucho más factible dejar de disfrutar de la comida y que esta se convierta en un problema.

OCURRIÓ EN LA INFANCIA

Los comportamientos alimentarios anormales en los adultos que se manifiestan como una adicción pueden hundir sus raíces en los primeros meses de vida. La madre da al bebé

■ LOS EFECTOS DE LOS SABORES

Según la medicina tradicional china, cada sabor está relacionado con una emoción y órganos del cuerpo.

Alegría. El sabor amargo la potencia y beneficia al corazón.
Tristeza. Se puede combatir con un poco de sabor picante, que nutre al pulmón.
Miedo. El salado atenúa el miedo, cuya sede corporal es el riñón. Además de utilizar la sal marina, se aconseja pescado, algas o ajos.
Preocupación. Las frutas y hortalizas dulces moderan esta emoción; si es excesiva perjudica el bazo y el estómago.
Cólera. El sabor ácido, por ejemplo del limón, tonifica al hígado, que sufre con la ira.

Lo deseable es que el acto de comer esté vinculado con emociones positivas.

Un estado de desbordamiento emocional o una dificultad para obtener lo que se desea puede provocar una ansiedad que solo se apacigua tomando determinados alimentos.

alimento, y a la vez le transmite amor, ternura y tranquilidad en diversa medida. En esa etapa la boca es un foco de placer íntimamente ligado al bienestar emocional. Cuando, ya adultos, hay que enfrentarse a dificultades y la persona no se cree capaz de superarlas, puede optar por refugiarse en la calma y el placer seguro que proceden de la boca. Los excesos en la comida pueden explicarse por el deseo de mantener el vínculo afectivo con la madre y la familia protectoras. Cualquier estado de desbordamiento emocional o dificultad para realizar los deseos provoca una ansiedad que puede apaciguarse ingiriendo alimentos.

DIGERIR LAS SITUACIONES
Los trastornos emocionales de la alimentación no afectan exclusivamente a los jóvenes o no se explican siempre por los traumas infantiles y las relaciones con los padres. Las dificultades pueden tener su causa directa en el presente. Por ejemplo, una persona de estómago delicado, a la que casi todo le sienta mal, más que trastorno digestivo puede tener dificultades para digerir ciertas situaciones. Otra puede digerir mal todo lo que cocina escrupulosamente en casa y en cambio, para su sorpresa, no tiene dificultades cuando come en compañía de alguien a quien quiere. Aquí el problema podría ser la soledad.

EL LASTRE DE LA IMAGEN
La causa más frecuente de problemas con los alimentos es su relación con el peso corporal. Ponerse a dieta es algo común con la esperanza de que al perder unos kilos aumentará la satisfacción personal. Pero si se logra alcanzar el objetivo, a menudo se comprueba que el malestar de fondo no desaparece. Entonces se vuelve a engordar y luego de nuevo a adelgazar, lo que genera un círculo vicioso del que cuesta tomar conciencia. Si la persona se detuviese a pensar, quizá descubriría el montón de emociones implicadas –especialmente el miedo a no ser amada– y sobre todo la dificultad para aceptarse con los «defectos» y «debilidades» que todo ser humano tiene.

SENTIMIENTO DE CULPA
La vergüenza o la culpabilidad aparecen a menudo en relación con los alimentos. Curiosamente, surgen casi en exclusiva por haber cometido lo que se considera un exceso y casi nunca por quedarse corto. Las posibles deficiencias de nutrientes no suelen suscitar emociones. Sucede así por la tendencia a imponerse límites y restricciones exageradas que suelen esconder conflictos emocionales. Las grasas, los productos lácteos, la carne, el pan y el azúcar son foco de emociones negativas que a menudo se contagian entre personas. Sin duda, estos alimentos en cantidades inadecuadas pueden causar problemas, pero la fobia no parece justificada. Estos alimentos han sido considerados básicos y quizá al rechazarlos se está manifestando un malestar social particular.

Cualquier emoción puede producir atracción o rechazo por alimentos a los que a menudo se otorgan inconscientemente poderes mágicos. El dolor o la nostalgia que produce la pérdida o la separación de un ser querido puede llevar a comer lo que más le gustaba a esa persona. Es una manera de volver a estar cerca de ella. Solo la

◼ LOS SENTIMIENTOS EN LA MESA
Las emociones son ingredientes esenciales de las comidas. Hay que «prepararlas» como un alimento nutritivo más.

Sin premios ni castigos. Con los niños (y con uno mismo) no son recomendables ni los premios ni los castigos. La aprobación y el amor no deben depender de lo que se come.
Generosidad. Al preparar la comida hay que añadir el cariño y pensar en el placer que producirá el plato en los comensales.
El espacio. Hay que otorgar al momento de la comida el respeto que merece, preparándolo todo para que resulte agradable (sin la distracción de la televisión o la radio, por ejemplo).

observación de cuál es el sentimiento que prevalece al comer y de cuáles son las circunstancias permite dilucidar la verdadera causa de un comportamiento alimentario «extraño».

Aceptar la frustración por no ser perfectos en todos los sentidos o no conseguir todo lo que se desea es necesario para sacar partido de las características positivas que posee toda persona. Esta simple aceptación puede abrir las puertas hacia una manera más placentera y realista de relacionarse con los alimentos.

ALEGRÍA Y CURIOSIDAD
Lo deseable es que el acto de comer esté vinculado siempre con emociones positivas. Un modo de favorecerlas es establecer una conexión natural con las necesidades del organismo. Hay

que relajarse, eliminar la ansiedad y atender los mensajes que envía el cuerpo, comer cuando lo pide y los alimentos que resultan atractivos, pero vigilando que no se esté bajo el efecto de ninguna compulsión.

Cuando se abandona la obsesión por el aspecto o por las dietas milagrosas o excéntricas y se otorga prioridad al equilibrio emocional, lo más probable es que el organismo se autorregule con éxito. Si no se puede evitar comer bajo los efectos de la ansiedad, conviene buscar ayuda psicológica y elegir un profesional que sea capaz de escuchar y buscar las causas profundas del conflicto emocional.

Cada vez que nos sentemos a la mesa deberíamos hacerlo movidos por la alegría y la curiosidad. En los momentos dedicados a comer reali-

zamos un paréntesis en la actividad diaria y retomamos el contacto con necesidades y sensaciones primarias y reconfortantes, como saciar el hambre o dejarse invadir por sabores y aromas, unos nuevos, otros conocidos y siempre placenteros.

SENSACIONES PARA GOZAR
Concentrarse en las sensaciones y permitir que afloren recuerdos o imágenes permitirá disfrutar a conciencia, profundamente, del comer. El pan tostado puede llevarnos hasta los momentos más dulces de la infancia. Una piña nos acerca a una isla tropical, aunque nunca la hayamos pisado. Disfrutar de todo ello en compañía, deleitándose con el placer propio y ajeno, forma parte de las pequeñas cosas que dan sentido a la vida.

DISFRUTAR DE UN SUEÑO REPARADOR

Cuando cuesta dormir bien, las medicinas naturales tanto de Oriente como de Occidente invitan a seguir una dieta natural y cuidar las emociones para recuperar el equilibrio sin necesidad de recurrir a fármacos. Determinadas plantas también pueden resultar de ayuda, así como seguir unas rutinas diarias y realizar una exploración interior que permite pacificar las inquietudes.

● El insomnio es el trastorno del sueño más común, pues afecta a un tercio de los adultos en todo el mundo. Resulta más frecuente en mujeres, si bien la calidad del sueño suele disminuir a medida que se envejece y entonces la incidencia se iguala.

Aunque por insomnio se entiende normalmente la dificultad para iniciar el sueño, lo cierto es que el problema puede adquirir varias formas: dificultad para conciliar el sueño al acostarse, despertares frecuentes durante la noche con dificultad para volverse a dormir, o despertarse muy temprano por la mañana. También puede darse el caso de que, aunque se duerma, en la práctica no se descanse; sucede así cuando se sueña mucho, con sueños muy movidos. Como consecuencia del insomnio, se puede sentir sueño al día siguiente, dificultad para concentrarse o recordar cosas y facilidad para enfadarse.

Hay muchos factores que pueden contribuir al insomnio. Los más importantes son la ansiedad y el estrés, pero también colaboran la alteración en los patrones de sueño/vigilia por los horarios de trabajo, el uso de ciertos fármacos, los cambios de la temperatura ambiental y problemas ginecológicos como el síndrome premenstrual. Además, algunos hábitos lo favorecen, como el consumo de alcohol o café antes de acostarse, o hacer siestas demasiado largas.

En el insomnio crónico, las causas resultan de una combinación de factores que puede incluir estado de ánimo depresivo, dolor crónico (artrosis, contracturas, tendinitis), insuficiencia cardiaca, picores en la piel, enfermedades crónicas como párkinson, apnea del sueño, asma y síndrome de las piernas inquietas, entre otros.

LA VISIÓN ORIENTAL

Las medicinas orientales consideran que el equilibrio mental es el aspecto fundamental para disfrutar de un buen descanso nocturno. Pero una diferencia sustancial frente a los conocimientos occidentales es que, para ellas, la mente no reside a nivel

■ PLANTAS Y SUPLEMENTOS

Relajan y restablecen los ciclos de sueño y vigilia de una forma natural y sin dependencias o efectos secundarios dañinos.

Valeriana. En caso de insomnio por ansiedad. Suele tomarse en tintura, extracto líquido o en comprimidos.

Melatonina. Esta hormona es útil para restablecer el ciclo de día y noche. La dosis es de 2,5 mg al acostarse, y podría llegar hasta 5 mg.

Lavanda. Baño caliente con 8-10 gotas de aceite esencial de lavanda antes de acostarse.

Fórmula herbal. En caso de inquietud, tomar una infusión antes de dormir de melisa, pasiflora, flor de azahar y amapola común o de California, a partes iguales.

La cantidad y calidad del sueño dependen de la armonía mental.

Para las medicinas orientales, la mente reside a nivel energético en el corazón. Si está alterado, sobre todo en el plano más psicológico, la mente no estará bien enraizada y el sueño se verá afectado.

energético en el cerebro, sino en el corazón. La cantidad y calidad del sueño dependen de la armonía mental, y esta depende sobre todo de la ausencia de los factores antes mencionados: estrés, consumo de sustancias excitantes, ansiedad...

Además, al considerar que la mente reside a nivel energético en el corazón, si este permanece en equilibrio (tanto físico como psicológico) la mente estará adecuadamente enraizada y el sueño será profundo. En cambio, si el corazón está alterado, sobre todo en su aspecto más psicológico, la mente no estará bien enraizada y el sueño se verá afectado.

La acupuntura considera que en la calidad del sueño también están involucrados el hígado y los riñones.

La duración y calidad del sueño están directamente relacionados con la salud del hígado. Concretamente, cuando hay sueños molestos, en los que se da vueltas a la cama toda la noche incluso sin despertarse, puede haber una desarmonía hepática. En cuanto al riñón, si está sobrecargado, puede hacer que se duerma mal, y en particular que uno se despierte a menudo durante la noche.

EMOCIONES QUE ALTERAN

Para las medicinas orientales, las emociones son el principal factor que altera estos tres órganos (corazón, riñones e hígado) y que causa insomnio. El exceso de preocupaciones merma la energía de los órganos internos, principalmente del corazón, y eso acaba perjudicando también a la mente. La rabia –incluidas la frustración, el resentimiento y la irritación– altera la energía del hígado, lo que provoca muchos sueños por la noche. Y el sentimiento de culpa estanca el cuerpo energético y afecta a los riñones, otra causa de insomnio.

Entre los factores vinculados a patrones de conducta nocivos encontramos las largas jornadas laborales sin descanso apropiado, combinadas con una dieta irregular. Esto debilita la energía yin del riñón, lo que genera «calor en la energía del corazón» y da como resultado insomnio. Una dieta irregular en este caso es aquella en la que se come demasiado, o en la que se abusa de alimentos muy grasos y picantes, que forman mucosidad en el estómago. Este factor se considera también causa de insomnio, ya que favorece unas digestiones lentas y pesadas que molestan a la mente.

El calor residual en el interior del organismo también constituye una causa frecuente de insomnio. El calor residual es el que ha penetrado en el organismo y no se ha logrado eliminar, como el calor generado por un resfriado mal curado o por el uso de antibióticos y que ha quedado retenido. Se almacena en el diafragma, donde entorpece el libre flujo energético y propicia el insomnio.

Según la medicina china, el exceso de actividad sexual a lo largo de la vida, sobre todo en el hombre, también puede ser causa de insomnio, pues la emisión de semen conduce a una deficiencia de esencia renal que, a la larga, puede afectar al sueño.

CÓMO TRATAR EL INSOMNIO

El tratamiento y la prevención del insomnio es multifactorial, como las causas, e incluye seguir una dieta adecuada y mantener unos horarios de comida más o menos fijos o regulares; esto redundará en mejores digestiones y reducirá el estrés mien-

◼ HIDROTERAPIA EFECTIVA

Los lavados con agua fría y la posterior vasodilatación que se provoca al entrar en calor facilitan la recuperación del sueño.

El baño vital. Sentarse en el bidé lleno de agua fría y echar agua desde el ombligo hacia abajo con una esponja o un paño, de 1 a 3 minutos. Secarse y abrigarse.

Lavado de las piernas. En caso de desvelarse, se ponen 2 litros de agua fría en el lavamanos con un vasito de vinagre. Se sumerge un paño de hilo, se escurre ligeramente y con él se lavan las piernas, primero por fuera y por dentro, y luego las nalgas y las plantas de los pies. Al finalizar, sin secarse, ponerse el pijama y volver rápido a la cama.

tras comemos. Es fundamental, asimismo, comer de forma tranquila, masticando cuidadosamente los alimentos y tomando alimentos que no perjudiquen a los órganos mencionados antes. Veamos a continuación algunos de estos alimentos:

Alimentos que tonifican el yin de riñón: fresa, bayas, legumbres, semillas tostadas (pequeñas cantidades), pescado y sopas de pescado en general, marisco, aceites de primera presión, nuez, piñón, arroz integral, arroz salvaje, quinoa y avena.

Alimentos beneficiosos para el estancamiento de hígado: apio, puerro, cebolleta, espárrago, alcachofa, germinados de alfalfa, cúrcuma, albahaca y compota de manzana, así como las infusiones de diente de león, hojas de alcachofera o boldo.

Alimentos que eliminan el exceso de fuego del corazón: verduras de hoja verde en general, uva negra, granada, fresa, frambuesa, tomate maduro, judía *azuki*, aceite de onagra, col lombarda, alubia roja, espinaca, cebada germinada, lenteja roja, alcachofa, endibia, espárrago y sandía.

Tomar alguno de estos alimentos en concreto no resuelve el insomnio, pero seguir una dieta basada en ellos y restringir los alimentos que lo facilitan (café, alcohol, picantes, productos cárnicos, azúcar y edulcorantes químicos) sí que ayuda a combatirlo.

REVISIÓN PERSONAL

El tratamiento del insomnio con acupuntura tiene una parte muy importante de prevención de estados emocionales negativos que acaban alterando el sueño. Si las preocupaciones, la rabia, el estrés, el resentimiento o el sentimiento de culpa, por ejemplo, tienen un impacto directo sobre el equilibrio psíquico, la prevención del insomnio requiere un buen trabajo emocional interno y práctico para reducir al mínimo la aparición de todas estas emociones negativas. Por ello, el tratamiento con acupuntura se complementa habitualmente con actividades como la psicoterapia, la práctica regular de la meditación, las terapias psicocorporales, danzas terapéuticas y respiración holotrópica, entre otras técnicas de relajación y conocimiento interior.

Dar la vuelta a nuestras emociones no suele ser un proceso rápido, y a veces nada fácil, pero sí imprescindible para mejorar la salud.

CÓMO CAMINAR Y SENTARSE BIEN

Muchos dolores de espalda y molestias músculo-esqueléticas tienen su origen en malos hábitos corporales. Pueden evitarse fijándose en la corrección de las posturas que se adoptan o de los movimientos que se realizan cotidianamente. Se puede empezar por mejorar la manera de caminar y de estar sentados, dos gestos básicos de los que depende nuestro bienestar físico.

● El cuerpo realiza un esfuerzo estando de pie parado; en cambio, al caminar, los equilibrios se producen naturalmente. Andar bien es como un masaje: el cuerpo se relaja y se llena de energía. Es un remedio fácil para atenuar el desasosiego en la vida cotidiana, cuando se siente la presión en el trabajo, nos falta el resuello al subir las escaleras o las preocupaciones no dejan dormir. Andar regula la tensión arterial y el colesterol, da un masaje al corazón, y activa músculos, huesos y diferentes sistemas del cuerpo. Veamos cómo andar para revitalizarse física y mentalmente.

UN CAMINAR ÁGIL

Para dar un paso adelante, al tiempo que avanzamos el pie derecho junto a la pierna y la cadera derechas, adelantamos también la caja torácica, el brazo y la mano izquierdos. En el siguiente paso, seguimos el proceso inverso, haciendo ligeras torsiones que distinguen a nuestro caminar. El movimiento heterogéneo de la pelvis y la caja torácica son esenciales para agilizar el sistema nervioso y el cerebro. ¿Cómo se activa? Primero, advirtiendo si hay movimiento en estas partes del cuerpo cuando andamos. Si no lo hubiera, realizaremos el siguiente ejercicio:

● Nos abrazamos llevando el brazo y la mano derechos al omoplato izquierdo, y el brazo y la mano izquierdos, al derecho. En esta posición, caminamos.

Si seguimos sin distinguir los movimientos de la cadera y la caja torácica, daremos pasos largos y rápidos. Advertiremos que el cuerpo reacciona y que la caja torácica se mueve en arco hacia el costado derecho al avanzar con el pie izquierdo, y en arco hacia la izquierda, al avanzar con el derecho. Damos 50 pasos.

Después invertimos los brazos, es decir, el brazo que queda arriba se coloca debajo. Damos 50 pasos más sintiendo cómo se desglosa el movimiento entre la caja torácica y las caderas. Soltamos los brazos y andamos como siempre. Advertiremos que nuestro

■ BUEN CALZADO Y POCO PESO

El andar se inicia siempre con los pies, capaces de soportar el peso del cuerpo a cada paso de manera dinámica.

Es fundamental la elección de un buen calzado para caminar. Es importante que sea ligero, de suela ancha y plana, y que cuente con una buena sujeción. Lo que mejor sujeta son las zapatillas con cordones, mejor que las de velcro o tipo mocasín.

Si se lleva algo de peso, es preferible que sea en una mochila pequeña y bien ceñida al cuerpo. Para una caminata de pocas horas, basta con cargar un botellín de agua para hidratarse, fruta y frutos secos y una prenda para abrigarse si fuera necesario.

Al caminar, la pierna y el pie que están en el aire deberían relajarse

■ AYUDAS PARA ALINEARSE

El beneficio del caminar depende de cómo se coloca el cuerpo.
Si se halla bien alineado, no tendrá que soportar tensiones innecesarias.

En una cinta móvil. Programaremos la caminata que precisamos atendiendo al peso y a la altura. Los programas consideran el proceso de aceleración y desaceleración al principio y al final de la caminata.
En la montaña. Si ascendemos una pendiente muy pronunciada, deberemos situar el tronco casi paralelo al suelo para facilitar el trabajo de las piernas y de la espalda. Si bajamos, deberemos dejar el pie relajado en el suelo y flexionar las rodillas a cada paso, haciendo fuelle con la pierna y la cadera para amortiguar el impacto del cuerpo sobre las rodillas.
En la playa. Caminar descalzos resulta placentero y es un gran masaje para los pies. El efecto se potencia dejando que se mojen con las olas.

caminar se ha hecho más móvil y liviano, y una sensación agradable de libertad recorre el cuerpo.

LA IMPORTANCIA DE LA MIRADA

Todo ser humano cuando comienza a andar repite el mismo proceso. Basta con observar a los bebés para aprender diferentes maneras de ayudarnos con el andar. Cuando el bebé deja el suelo y, con gran esfuerzo, agarrándose a las patas de una mesa, se pone de pie, lo primero que activa son los ojos. Observa los colores que le atraen y hacia allí adonde dirige la mirada inicia el movimiento. Cientos de músculos, el sistema nervioso y parte del cerebro se ponen en marcha para que pueda comenzar a andar.

Son los ojos los que se encargan de organizar el cuerpo para abordar el movimiento. Esta organización deberá repetirse muchas veces para convertirse en un hábito e interiorizar el proceso. Pero llega un momento en la vida adulta en que se convierte en rutina. Entonces hay que cambiar ciertos patrones para que el andar ayude a revitalizarse.

• Se dan veinte pasos en línea recta mirando al frente, abriendo el campo de visión arriba, abajo y a los lados; después otros veinte mirando ligeramente a la izquierda, sin desviarse; otros tantos mirando a la derecha, veinte mirando al suelo y veinte mirando al cielo. Después se sigue andando con la mirada al frente, abriendo el campo de visión para distinguir lo que pasa a la izquierda, a la derecha, arriba y abajo, sin intentar mirar u observar, sino solamente ver.

El caminar se remozará y nos dará una visión más completa del cielo que nos protege y el suelo que nos acoge.

LA RELAJACIÓN TAMBIÉN ANDA

Si se presta atención al proceso del caminar veremos que se realiza entre la tensión y la relajación. Si apoya-

mos esta última con el pensamiento, el proceso se convierte en un método de relajación.

• Cuando se tiene el peso sobre el pie izquierdo, la tensión recae en la cadera, la pierna y el pie izquierdos; en cambio, en ese mismo momento la pierna y el pie derechos junto con la cadera derecha se desplazan por el aire y experimentan un breve instante de relajación. Si se pone la atención en ese instante, la parte derecha se relaja todavía más, lo que facilita el andar. Se realizan así veinte pasos.

• Se repite el ejercicio acompañando con el pensamiento el otro lado cuando está en el aire –el pie, la pierna y luego la cadera– durante veinte pasos. Al acabar, la cadera se habrá liberado y paulatinamente el movimiento se irá soltando de los pies a la espalda y relajará los brazos, que se moverán livianos y gráciles.

LA RESPIRACIÓN AL CAMINAR

Para dar un paseo suave de un cuarto de hora, la respiración no precisa preparación. Sus mecanismos inconscientes con su sabiduría acumulada en nuestros genes durante generaciones la colocan donde debe estar y la activan según se la necesita.

• Si se va a realizar una marcha rápida, se empieza andando suavemente cinco minutos y luego se va acelerando la marcha durante cinco minutos más hasta alcanzar el ritmo deseado. Automáticamente, percibiremos que la respiración inconsciente se mantiene a un ritmo. Nuestra única tarea será ayudar de manera consciente al ritmo de la marcha y, a su vez, al de la respiración que hemos adquirido. Si aun así notamos que nos quedamos sin aliento, prepararemos los sistemas y aparatos que participan en la respiración –pulmones, diafragma, sistema nervioso, cerebro y los músculos que unen las costillas y la caja torácica–, para que respondan

Una de las grandes cualidades del andar como actividad física es que se puede realizar en cualquier momento del día y que no precisa ningún utensilio o artilugio complementario.

a las necesidades de nuestro caminar, sea una marcha veloz, un paseo o subir o bajar por una pendiente. Para ello realizaremos el siguiente ejercicio de pie, sentados o tumbados en el suelo:

• Percibimos el lugar donde localizamos la respiración, la duración de la inspiración, la espiración y las pausas, si las hubiere. Inspiramos normalmente y luego espiramos casi completamente, paramos y sacamos un poco más de aire, en forma de síncopa. Paramos de nuevo y espiramos sincopando dos veces más y a continuación contamos hasta cinco sin tomar aire. Volvemos a inspirar y repetimos tres veces todo el proceso.

• Prestamos atención a cómo han cambiado la localización del aire, su duración y cualidad. Repetimos el ejercicio pero sincopando tres veces al final de la inspiración, paramos, contamos cinco y espiramos.

Después de este ejercicio observaremos que nuestra capacidad respiratoria aumenta, se alarga, ocupa más espacio en el cuerpo. Ya tenemos la respiración preparada para caminar.

SECRETOS PARA SENTARSE BIEN
Una postura apropiada en la silla preserva la salud de la espalda y aumenta el bienestar. Es frecuente que se eche la culpa de los dolores de espalda a la cantidad de horas que se permanece sentado. Cierto que el sedentarismo no es lo mejor para la columna, pero a menudo el problema es cómo se está en la silla. A cualquier edad, las malas posturas causan fatiga, contracturas en hombros, espalda, brazos y cuello, migrañas e incluso alteraciones en la visión. Adoptar una posición correc-

Con el aumento del uso del ordenador en el trabajo y en el ocio, crecen también las lesiones de manos, muñecas, hombros, cuello y espalda. Cuidar la postura y el descanso es básico.

ta resulta básico durante la infancia y la adolescencia, pues el cuerpo se está desarrollando y hay riesgo de que se produzcan malformaciones de la columna.

El principal obstáculo es superar la tentación de sentarse como nos parece más cómodo y sin pensarlo. La posición puede resultar confortable unos minutos, pero poco después se hace insoportable y hay que cambiarla. Si las posturas incorrectas se prolongan mucho, las consecuencias pueden ser nefastas.

En los sofás también se adoptan posturas incorrectas, sobrecargando el sacro y la parte alta de la espalda. Esta posición produce tensiones musculares e incluso desviaciones vertebrales.

Al principio la manera correcta de sentarse (ver el recuadro inferior) parece artificiosa. Pero con la práctica se automatiza la posición y no cuesta nada sentarse bien. De todos modos, tampoco se puede mantener la postura ideal durante mucho tiempo. Es necesario moverse, cambiar la posición y levantarse cada media hora, realizando un breve paseo.

TRAPECIOS Y CERVICALES
Muchas de las incorrecciones en la postura tienen que ver con el trabajo con los ordenadores. Al escribir con el portátil situado sobre las rodillas solemos inclinarnos hacia delante. Sufren así los trapecios y el resto de la musculatura escapular. Si no les hacemos caso y no cambiamos de postura, surgirán los dolores. Emergen esos «botones» sensibles al tacto y que pueden convertirse en un incordio en el día a día.

La otra musculatura que padece con estas malas posturas, sobre todo por un exceso de giro, es la cervical. El malestar que provoca se asocia a las vértebras cervicales, pero lo más habitual es que se trate de contracturas musculares. Es una suerte porque son más fáciles de recuperar. Ante este panorama, ¿qué podemos hacer? Como reza el dicho, «más vale prevenir que curar», por lo que podemos comprobar si estamos siguiendo las recomendaciones básicas.

LA PANTALLA DE ORDENADOR
Hay que situarla frente a los ojos, de forma que no obligue a mantener el cuello girado ni inclinado. El centro de la pantalla debe estar ligeramente por debajo de los ojos y a unos 50 cm de estos (la distancia del brazo). Esto no se cumple muchas veces, especialmente en los portátiles, que se sitúan sobre cualquier superficie. La persona tiene entonces que acomodarse como puede y de ahí nacen muchos problemas relacionados con los trapecios, agotados de tanto estirarse.

LA POSICIÓN
Los brazos deben descansar en un ángulo de 90° sobre la mesa de trabajo. Conviene revisar, por lo tanto, tanto la altura de la mesa como de la silla. A menudo un problema de mobiliario puede ser el causante de una tendinitis en el hombro.

Trabajar un par de centímetros por encima o por debajo de lo correcto hace que haya que estirar más la cadena muscular del brazo. Por descontado, hay que intentar permanecer bien sentado, apoyar la espalda en el respaldo y sentir los hombros relajados. Los pies deben reposar en el suelo por completo, aunque se puede utilizar un reposapiés si es necesario.

■ LA POSICIÓN SENTADA PERFECTA
Si no se está acostumbrado puede parecer forzada, pero tras poner atención durante unos días se adopta con naturalidad.

La nuca debe estar relajada y estirada, recordando que la coronilla ha de estar a la mayor altura posible.
Los hombros tienen que estar relajados (no alzados), mientras que antebrazos y manos deben permanecer apoyados sobre la mesa.

El tronco debe respetar el eje vertical.
Los isquiones constituyen la base del apoyo.
Las rodillas tienen que formar un ángulo recto. Por supuesto, no conviene cruzar las piernas.
Las plantas de los pies se apoyan en el suelo por completo.

LA VISTA

Sitúa la pantalla a unos 55 centímetros de los ojos. También hay que poner atención en la luz, para que no incida directamente sobre la pantalla y produzca reflejos molestos.

LOS DESCANSOS

Es importante levantarse de la silla de trabajo como mínimo cada dos horas. Es el momento de mover las piernas, que bombearán sangre nueva; de estirar los brazos entrelazando los dedos de las manos y llevándolos hacia el techo, así como de levantar la vista e intentar mirar hacia un lugar lejano, más allá de la ventana.

CÓMO RECUPERARSE

Si no se ha sido capaz de parar a tiempo, se puede producir una lesión y que el teclear se convierta en una tortura. ¡Hay que buscar soluciones! Aquí conviene diferenciar los problemas musculares de los tendinosos y nerviosos. Los musculares pueden solucionarse con un masaje de descarga. Los problemas de tendones y nervios tienen un denominador común: la inflamación de un tejido rígido. Se trata de un terreno más complicado. Una opción es ir de la terapia más suave a la más agresiva. En un mismo nivel se encontrarían las manos de un fisioterapeuta que proporcione un buen masaje Cyriax (masaje transverso profundo), de un osteópata o de un acupuntor que desinflame e incremente la irrigación sanguínea mediante el uso de agujas. Combinar técnicas puede ser también muy conveniente.

El descanso y el uso de antiinflamatorios rara vez reparan el tejido dañado. En estos casos, siempre es recomendable el uso de calor, nunca de hielo. Si después de unas sesiones no se mejora, suelen recetarse técnicas más agresivas, como las infiltraciones. Pero si el traumatólogo propone una cirugía hay que sopesar la decisión porque no siempre da buen resultado y, en cambio, asegura efectos secundarios molestos. Por ejemplo, la recuperación de un hombro operado es larga y a veces incompleta.

Para no llegar a esta situación, conviene observarse, detectar las tensiones y las malas posturas o gestos que las causan para tomar medidas a tiempo. Y mucho más sensato y efectivo puede ser acudir regularmente a la consulta de un buen masajista.

CUIDAR BIEN LAS ARTICULACIONES

La posibilidad de moverse con más o menos ligereza y amplitud depende de nuestras articulaciones, que con la edad pueden verse afectadas por problemas de mayor o menor gravedad. Podemos prevenirlos y mantenerlas sanas con un estilo de vida saludable, que incluye una dieta exenta de tóxicos, ejercicio suave y una actitud vital optimista, abierta al cambio y a los demás.

● Nuestras articulaciones son capaces de soportar fuerzas enormes como la gravedad. Pero hay que saber adaptarse y aprovecharse de ellas para estabilizarse y mejorar el movimiento. La articulación brinda flexibilidad, física y psicológica, nos marca los límites físicos y psíquicos y nos ayuda a explorarlos. La articulación se adapta a los movimientos, a la forma de movernos y expresarnos, y es un reflejo de nuestra situación física y anímica. Las articulaciones se achican y se deterioran con la vida sedentaria y mejoran con el movimiento o el ejercicio adecuado, mientras que el inadecuado las daña aún más.

No solemos prestarles atención hasta que dan problemas, normalmente en forma de dolor. En su ya clásica obra *Anatomía para el movimiento* (Ed. Liebre de Marzo), Blandine Calais-Germain habla de la articulación y de cada una de sus partes, del cartílago y su capacidad de regeneración, de la sinovia que engrasa y nutre al cartílago a la vez que elimina las sustancias de desecho, de la cápsula que mantiene en equilibrio la articulación y la conecta al movimiento. Blandine también describe el ejercicio para la articulación, que debe ser suave, para preservar y recuperar el deslizamiento fácil, como si se lubricase esta con aceite, siempre sin forzar, sin estirar ni contraer, de forma dulce. Este movimiento favorece la nutrición y la eliminación de sustancias agresivas para el cartílago, hace el líquido sinovial más fluido y la membrana aumenta su actividad.

■ VENTAJAS DEL EJERCICIO SUAVE

Los masajes en las articulaciones y el ejercicio moderado son eficaces. La clave es moverlas y no sentir dolor al hacerlo.

Activar la articulación. El ejercicio es básico para mejorar la articulación, pero debe ser suave, que ponga en marcha todas las posibilidades de la articulación sin forzarla ni aumentar la presión. A las articulaciones que reciben peso conviene quitarles fuerza de gravedad, lo que se consigue flotando en la piscina o el mar.

No forzar. Nunca se debe forzar. El dolor es la barrera que nos avisa de que no debemos hacer eso. La clave es movilizar la articulación sin que duela, pero, ante todo, moverla.

FLEXIBILIDAD PSÍQUICA

El frío y la humedad, unidos a los cambios de presión atmosférica, sensibilizan la articulación, a veces incluso produciendo dolor. Además del ejercicio, es importante revisar la postura y la forma de moverse, tanto físicamente como en las relaciones (el modo de acercarse o de alejarse de los demás, de ser tolerante o agresivo...). Conviene ejercitar la tolerancia, saber aceptar las críticas y corregir los errores, no enjuiciar sino intentar

Es importante moverse con fluidez, tanto a nivel físico como psicológico.

> Es importante prevenir el daño articular directo: no cargar con pesos las articulaciones sensibles y evitarles traumatismos. El baño en agua sin presión es ideal para las articulaciones.

comprender, asumir lo inesperado, afrontar el cambio como un juego y no dejar de tener una gran capacidad para reírse de uno mismo y de cualquier situación que resulte graciosa.

LA ARTROSIS COMO EJEMPLO

La artrosis a la larga puede producir dolor y deformación de la articulación. Predisponen a ella factores como: edad avanzada, sexo femenino, obesidad, traumatismo o deformidad articular, factores laborales, ciertos deportes y la debilidad muscular.

Con el tiempo, el cuerpo se defiende anulando los movimientos dolorosos. Los osteoblastos aumentan la formación ósea, lo que da lugar a huesos más rígidos. A su vez esto causa microfracturas, seguidas de formación de callos, rigidez y más microfracturas. Se forman osteofitos (excrecencias óseas), el rasgo distintivo de la artrosis. Y todo ello limita el movimiento.

Está comprobada la eficacia de los masajes suecos en pacientes con artrosis de rodilla, con resultado de mejoría significativa en los índices de dolor y en la rigidez de los miembros. Y la mayoría de los pacientes tratados con acupuntura aseguran haber tenido una mejora significativa en los síntomas de la enfermedad.

La combinación de tratamientos es lo que suele lograr un mayor alivio sintomático, lo que incluye introducir cambios en el estilo de vida:

Mantener un peso adecuado. La obesidad aumenta el riesgo de padecer artrosis y el adelgazamiento puede disminuir el dolor y ralentizar la progresión de la enfermedad. Conviene hacer de forma regular ejercicio aeróbico, entrenamiento en resistencia y fortalecimiento. El ejercicio no solo contribuye a un estilo de vida saludable general, sino también a reducir la discapacidad y el dolor.

Seguir una dieta vegana o casi (vegetariana pura, sin leche ni huevos) para reducir el dolor articular sin tener que recurrir a medicamentos con efectos secundarios dañinos.

Aplicar calor o frío en las articulaciones que dan síntomas puede aliviar y mejorar la amplitud de movimientos. Los baños calientes y las curas termales en balnearios son adecuadas.

Aparte de estas medidas, es importante prevenir el daño articular directo. Para ello es preciso no sobrecargar con peso la articulación afectada y evitarle traumatismos. Para reducir la carga articular cuando existe afectación de caderas o rodillas hay que evitar permanecer de pie, ponerse de rodillas o en cuclillas. Ha de plantearse el uso de un bastón, andador o plantillas con cuña. El ejercicio en el agua sin presión para las articulaciones (*aqua-gym*) es ideal.

LA ARTRITIS REUMATOIDE

Esta enfermedad conlleva alteraciones dolorosas en articulaciones de las extremidades; aumentan por la noche y se tiene sensación de cuerpo dolorido al despertarse. A veces puede ir acompañada de manifestaciones psíquicas como ocultación de los conflictos íntimos, problemas relacionados con la dominación y el control, agresividad hacia uno mismo... El dolor podría interpretarse entonces como una llamada de auxilio.

La artritis reumatoide se relaciona con antiguos contactos con bacterias o virus, pero no es una hipótesis muy válida. Lo más aceptado hoy es que existe un problema en el sistema inmunitario, o más bien en el siste-

■ LA ALIMENTACIÓN ACONSEJABLE

En problemas articulares serios controlar el peso o ayunar tres días al mes puede resultar útil para las articulaciones.

Cartílago animal. Se aconsejan a veces estos cartílagos porque aportarían elementos para formar el propio cartílago, pero su eficacia no está demostrada.

Grasas vegetales. Mucho más importante es eliminar tóxicos de los líquidos sinoviales que nutren el cartílago; esto, además de producirse con el ejercicio suave, se consigue incluyendo en la dieta grasas –cuyo papel sería el de un lubricante– que no hayan sido calentadas y proteínas de origen vegetal: legumbres, cereales y semillas.

ma de identidad: la artritis sería una agresión a este sistema dado que el cuerpo se ataca a sí mismo. Las causas pueden ser múltiples, como genéticas o endocrinas (se reduce durante la gestación y los corticoides merman su actividad). No se dispone de métodos demostrados para prevenirla. Sin embargo, se recomienda lo siguiente:

Reírse. Ver películas y leer libros de humor, levantarse cada mañana y hacer el esfuerzo de reírse. Al principio resultará embarazoso, pero funciona, tal como demostró en su curación el periodista Norman Cousins.

Ser creativo. Practicar un arte, bailar, tocar un instrumento, ejercitarse con el tambor, escribir...

Encontrar sentido a la vida. Preguntarse qué es lo que le da a uno la energía para levantarse cada mañana.

Amar a las personas. Relacionarse con «personas positivas», asegurándose de que superen en número a las relaciones «negativas». Encontrar grupos de apoyo.

Comer bien. Intentar seguir una dieta vegetariana. Asegurarse de equilibrar la ingesta de proteínas y de tener un aporte adecuado de vitaminas.

Ácidos grasos omega-3. Tienen un efecto antiinflamatorio y su ingesta puede aumentarse tomando harina o aceite de semillas de lino. La fuente más común es el pescado azul.

Conviene eliminar el consumo de café, tabaco y alcohol. Si se sospecha intolerancia a determinados productos (lácteos, trigo, cítricos o frutos secos) conviene no consumirlos durante dos semanas y luego comprobar si se tolera el alimento sospechoso.

Especias útiles. Empezar con 1 g de jengibre en polvo 2 veces al día hasta un máximo de 4 g. Si no hay efecto tras 6-8 semanas, intentarlo con cúrcuma (0,5-1 g, 2-3 veces al día). **El fortalecimiento muscular** y el estiramiento pueden ser inestimables para mantener la función. Al principio se puede utilizar la fisioterapia para el entrenamiento.

La meditación es muy recomendable en quienes están dispuestos a dedicar diariamente un tiempo para analizar más estrechamente la conexión entre el cuerpo, la mente y el espíritu. Una opción más sencilla es el *mindfulness*.

Los ejercicios de relajación también se recomiendan, así como los métodos para hacer frente al estrés. El taichí, el chikung y el yoga aportan un componente meditativo al ejercicio.

TERAPIAS PARA EL DOLOR DE ESPALDA

El dolor de espalda resulta muy frecuente porque existen muchas causas que lo pueden favorecer. Los tratamientos iguales para todos no suelen ser una buena opción. La clave para acabar con las molestias es encontrar la principal alteración responsable de su origen y aplicar un tratamiento individualizado. Raro es el dolor que se resiste a las manos de un buen especialista.

● Casi la mitad de la población española sufre algún episodio de dolor de espalda a lo largo del año. Y cuatro de cada cinco personas lo experimentan varias veces a lo largo de su vida. A menudo desaparece sin tratarlo, pero uno de cada cuatro pacientes no encuentra un tratamiento eficaz que resuelva definitivamente su problema y se conforma con el alivio que proporcionan analgésicos y antiinflamatorios, que no están libres de efectos secundarios. Tampoco es extraño que se sometan a intervenciones quirúrgicas innecesarias o poco eficaces.

Sin embargo, no es tan difícil liberarse del dolor por completo sin recurrir a medidas drásticas. Sólo hace falta un tratamiento que aborde la verdadera causa del problema. Pero no es fácil descubrirla. Un buen terapeuta de la espalda debe atreverse a afrontar tanto problemas de origen físico como psicológico, óseos y musculares, adquiridos e innatos. Además, resulta imprescindible que conozca a fondo la mayor cantidad posible de recursos terapéuticos, sean convencionales o alternativos.

CAUSAS MECÁNICAS O TENSIONES EMOCIONALES

El ser humano no es ninguna máquina, pero muchos dolores de espalda se solventan mecánicamente. Las contracturas musculares, los desequilibrios en la pelvis o una manera incorrecta de caminar o de sentarse pueden dificultar el encaje natural de las vértebras y las articulaciones. Para restaurarlo hace falta aplicar la terapia física adecuada.

Es igualmente cierto que una persona con un buen funcionamiento músculo-esquelético puede sufrir terribles dolores de espalda debido al corsé impuesto por las tensiones emocionales. En nuestros días, muchos dolores de espalda son debidos al estrés laboral. Otro buen número de dolores de raíz emocional es causado por los problemas en la vida familiar y sexual. En este caso están indicadas las técnicas de relajación, y si es necesario, la terapia psicológica.

■ DOLOR DE CERVICALES

Carlos Federico consiguió reducir sus molestias crónicas en cuello, hombros y brazos gracias a un tratamiento osteopático.

La rehabilitación le aliviaba solo mientras duraba la sesión, por lo que no dudó en acudir a un osteópata cuando le hablaron de esta terapia. Alfons Vinyals inició el tratamiento con masaje en el tejido blando y estiramientos para desbloquear toda la zona. Después de un mes se había producido una mejora efectiva de los hormigueos. Poco a poco, las visitas se espaciaron hasta producirse cada seis semanas. En un año, Carlos obtuvo el alta y ya solo siente alguna molestia leve ciertas mañanas.

Un buen terapeuta sabe encontrar con sus manos el origen del dolor.

Ante un dolor de espalda es recomendable continuar con la actividad normal, a menos que la molestia esté relacionada con alguna rutina o esfuerzo asociados al trabajo.

El yoga, el taichí, el método Pilates o cualquier otra disciplina que ayude a tomar conciencia de lo que ocurre en el cuerpo, a descubrir dónde están las tensiones y a eliminarlas, pueden resultar también eficaces.

AUTOTERAPIA DE URGENCIA

Ante un dolor de espalda que se repite o no desaparece en pocos días hay que reaccionar rápido aplicando cuatro medidas de urgencia:

Frío. Colocar una toalla con cubitos de hielo, bolsas terapéuticas de gel frío o simples compresas empapadas en agua fría durante diez minutos ayuda mucho cuando el dolor es más intenso porque relaja la musculatura, reduce la inflamación y posee una acción anestésica.

Calor. Parece una contradicción, pero a veces el calor también resulta beneficioso. Se recomienda aplicar calor cuando el dolor retorna con intensidad menor después de haberle administrado frío. Se puede recurrir a la sauna, una botella de agua caliente, una ducha o una lámpara de infrarrojos. Lo que siempre ayuda es colocarse una botella de agua caliente en la barriga con un paño húmedo debajo. De esta manera se relaja la espalda a través de las zonas reflejas. Sin embargo, no se recomienda aplicar calor cuando el dolor es muy agudo y responde a una inflamación masiva.

Actividad. La mayoría de los dolores de espalda no necesitan reposo. Conviene hacer ejercicio para mejorar la circulación y activar el sistema inmunitario. Así los tejidos recibirán nutrientes y se reparará cualquier daño. Basta con caminar, andar o ir en bicicleta. La única prevención es no hacer nada que esté por encima de las posibilidades de nuestra condición física.

Respiración relajante. La contradicción entre actividad y relajación es solo aparente. Las dos son necesarias. Hay que sentarse con la espalda recta o, si se puede, tumbarse boca arriba sobre una superficie no demasiado blanda. Se coloca una mano sobre la barriga y se empieza a respirar tranquila y profundamente, inspirando y espirando de forma consciente. En solo dos minutos la espalda se relaja y la sensación de dolor se reduce.

TERAPIAS RECOMENDABLES

Lo malo es que a veces la autoterapia no basta. Si el dolor continúa se hace recomendable buscar ayuda profesional. En la gran mayoría de los casos el tratamiento debe incluir un programa de ejercicio físico ligero para aumentar el tono muscular, y terapia específica para restaurar la biomecánica natural del cuerpo. A menudo un dolor se origina en un error de postura que desencadena una serie de compensaciones y acaba en dolor. Por ejemplo, una mala colocación del pie al caminar puede tener repercusión en todo el cuerpo: las rodillas, los tobillos, la columna, las vértebras, las caderas, la nuca, los músculos y los tendones tienen que reaccionar sucesivamente ante ese «error». La manera en que se consiga resolver el problema depende del terapeuta. Lo importante no es el medio utilizado, sino el resultado. Las mejores herramientas terapéuticas para alcanzar la curación son las siguientes:

Terapia de tracción. La tracción implica estiramiento. Cada terapeuta tiene su «librillo» para eliminar de esta manera las limitaciones de la movilidad, los bloqueos o los acortamientos musculares. La tracción, que

■ QUIROPRÁCTICA Y DOLOR LUMBAR

Ana María Veciana pudo evitar una operación en la columna gracias al tratamiento con quiropráctica.

El escáner descubrió que tenía una vértebra lumbar con roturas y el traumatólogo le aconsejó fijarla con placas. Ana María buscó una alternativa y la encontró en la quiropráctica. Llegó a la consulta casi sin poder andar y sintió un alivio inmediato.

Después de un año asegura que su calidad de vida ha mejorado en un 80%. El osteópata Gregory Veggia la trata dos veces al año para «quitar el dolor acumulado», «evitar que el cuerpo se desajuste de nuevo» y «revitalizar el organismo entero».

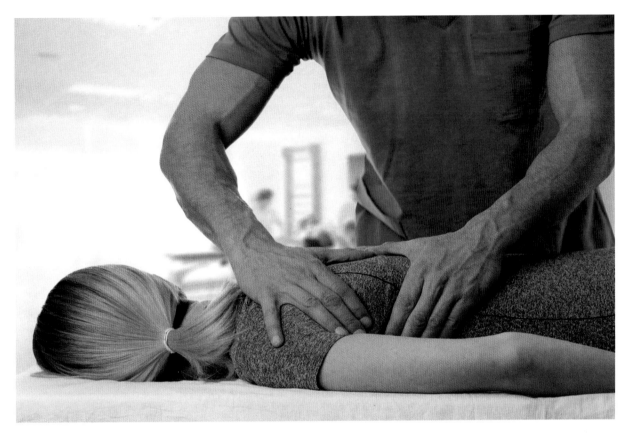

separa y reduce la presión sobre los discos vertebrales, se realiza con máquinas que permiten una manipulación precisa y segura. Según la Unidad de Columna de la Clínica Indautxu, en Bilbao, la terapia de tracción obtiene un 86% de éxitos en dolores debidos a hernias discales.

Osteopatía. Mediante manipulaciones precisas en las vértebras, las articulaciones, los músculos e incluso los órganos y otros tejidos blandos, la osteopatía consigue que el cuerpo restaure su sistema interno de comunicaciones y que se desencadene el proceso de autocuración. Los osteópatas, que a menudo han cursado estudios universitarios de Medicina o Fisioterapia, se forman en escuelas privadas, así como en cursos universitarios de postgrado.

Quiropráctica. Con el tiempo se ha desarrollado como una terapia específica para los problemas de espalda con técnicas directas de corrección vertebral. Resulta interesante la relación que establece entre la salud de la espalda y la de los órganos.

Terapia refleja. También denominada «masaje del tejido conjuntivo» y desarrollada por la alemana Elisabeth Dicke, se emplea poco a pesar de su eficacia. Se realiza con el paciente sentado y actúa sobre el sistema nervioso, los músculos y los órganos a través de un masaje suave y lento. Su ventaja principal es que produce una relajación corporal que favorece la eficacia de las otras técnicas que se puedan aplicar a continuación.

Movilización. Tan pronto como se siente dolor en la espalda, debe adoptarse una posición de reposo para minimizar la carga sobre la zona afectada. La movilización a cargo de un terapeuta con experiencia ayuda a reducir todavía más esta presión. A veces hay que actuar sobre articulaciones con una movilidad limitada, que no causa dolor y de la que el paciente no es consciente.

Tratar los acortamientos musculares. Las personas que pasan mucho tiempo sentadas sufren acortamientos musculares, sobre todo en el abdomen y las caderas, que provocan desequilibrios en la espalda. El tratamiento se realiza mediante estiramientos manuales y ejercicios. La RPG (Rehabilitación Postural Global), la microgimnasia y la técnica Alexander aplican movilizaciones y son especialmente eficaces.

4. EQUILIBRARSE DE PIES A CABEZA

LA CONCIENCIA CORPORAL

Percibir lo que sucede en el cuerpo nos permite acceder a él y, así, cambiarlo y mejorarlo. Podemos ejercitar la mente para que lo atienda, sin juzgar ni imponer nada, solo sintiendo y siendo conscientes de su compleja realidad. Pero también es un viaje de vuelta: a través de él nos instalamos en el presente, el tiempo del cuerpo, y se despierta la relación con los sentidos, la gravedad y la respiración.

● Conocer y cuidar el cuerpo precisa brindarle atención, adentrarse en él, a poder ser ahora mismo. Para ello poseemos una herramienta básica: nuestra mente y sus capacidades –la voluntad, la inteligencia, la memoria y la capacidad de visualización–. Aplicar la mente al cuerpo para potenciar al ser humano es lo que llamamos «conciencia corporal».

La conciencia corporal enseña a descubrir el cuerpo, a dialogar con él, comprender su ritmo, abrir los sentidos, adivinar sus secretos y mensajes, su inteligencia y memoria. Proporciona concentración, aplomo, relajación, tonificación…, y mejora la vida física, mental y espiritualmente. La conciencia corporal une la mente y el cuerpo, originando un ser humano más completo, dinámico y dichoso.

LA ACTITUD Y LA ATENCIÓN

Aunque la mente es viajera, volátil y dispersa, tenemos la suerte de que el cuerpo, sólido y concreto, vive en el presente. ¿Cómo preparar la mente para que atienda al cuerpo e iniciarnos así en la conciencia corporal? El punto de partida para adquirir este conocimiento es la actitud. Hay que adoptar el cuidado y la minuciosidad que tiene cualquier explorador cuando descubre un territorio nuevo. Y agregar a ello la curiosidad y la ilusión del niño que tropieza con una caja de botones y, al abrirla, encuentra asombrado todos los colores y múltiples posibilidades de juego.

Seguidamente, se toma conciencia de la atención, la *linterna* de la exploración, que iluminará los caminos, vericuetos, paradas, desvíos, sensaciones y emociones ligadas al cuerpo. Por una parte, cuanto más se utilice la atención, mejor funcionará. Por otra parte, podemos dirigirla a aquello que libremente deseemos, en este caso, el cuerpo. Aunque la atención sea muchas veces huidiza, fugaz e incluso indómita, siempre se puede despedir con la espiración la dirección errónea que haya tomado y podemos reconducirla otra vez hacia el organismo y el movimiento.

Desde la atención nos abriremos a las maravillas que el cuerpo nos depara, intentando siempre no juzgar ni imponernos nada. Simplemente dejarnos llevar, percibiendo y sintiendo el placer de su progreso cuando lo acompañamos con la mente.

▦ SOLTAR LOS TRAPECIOS

Aletear. Sube los brazos a la altura de los hombros como si te tiraran de los codos hacia arriba y hacia fuera, sin subir los hombros y dejando las manos y antebrazos relajados delante del cuerpo. Luego, sin mover los codos ni los antebrazos, intenta poner las palmas de las manos frente a frente. Y desde esta posición, trata de bajar por último los brazos en bloque.

■ DESPERTAR LAS DISTINTAS ZONAS CORPORALES

Estos ejercicios permiten experimentar y «despertar» las diferentes partes del cuerpo a base, por ejemplo, de sentir cómo transferimos las cargas que soporta de un hemisferio corporal a otro.

Las palmaditas tienen que ser secas y suaves.

2 | **La maroma.** Mira al frente. El talón izquierdo delante del pie derecho. Pasa el peso del quinto dedo del pie izquierdo al gordo, sigue por el interior del pie y el exterior del pie derecho, por el talón derecho y el interior de ese pie y el exterior del izquierdo. Hazlo cinco veces, cambia los pies y también el sentido.

1 | **Palmear.** Date palmaditas desde la parte exterior de cada cadera hasta los pies, bajando por la parte exterior de las piernas. Con la mano derecha, palmea el tronco desde la cadera derecha hasta el hombro izquierdo, baja por el interior del brazo y mano izquierdos y sube por el exterior hasta el hombro y el omoplato izquierdos. Repite luego esto mismo con la mano izquierda hacia el hombro y omoplato derechos. Hazlo dos veces.

3 | **La torsión.** Da un paso adelante. Dobla la pierna de delante y estira la de atrás. Pon los brazos en cruz y las palmas hacia fuera. Gira el tronco con el peso en el pie avanzado hasta mirar atrás sin esfuerzo. Inspira deshaciendo la torsión un poco y al espirar vuelve a la torsión. Repite cinco veces. Lo mismo al otro lado.

■ SENTIR LA COLUMNA VERTEBRAL

Levantar la columna vertebral y mantenerla en posición horizontal, con la pelvis a la altura de la cabeza, o en diagonal con la cabeza y la pelvis, nos hace conscientes del peso que soporta.

1 **En paralelo.** Desde la posición inicial, sentado boca arriba con los brazos atrás, empuja con los pies hasta poner el tronco y la cabeza en paralelo al suelo, horizontales, dibujando una línea recta como en la foto.

2 **En diagonal.** Desde la postura horizontal del ejercicio anterior, intenta alcanzar y tocar los talones con las nalgas y luego vuelve a la línea recta del principio. Repite este ejercicio cinco veces.

A continuación, con la conciencia, se retorna a las relaciones con dos elementos que nos circundan desde que nacemos y sin los cuales no podríamos vivir: la tierra y el aire, para hacernos realmente conscientes del peso y de la respiración.

DESCUBRIENDO EL CUERPO
Abandonándonos sin condiciones a la tierra sentimos nuestro peso. Nos tumbamos en el suelo boca arriba y percibimos las superficies de contacto con la tierra como si hubiéramos pintado la parte anterior del cuerpo con pintura y dejáramos huellas en el suelo. Lo primero que nos sorprenderá son las pequeñas diferencias entre la parte derecha y la izquierda. Una será más pesada o quizá más larga. Además, nos percatamos de que ni los brazos ni las piernas tocan el suelo de la misma manera. Que la cadera, los omoplatos o la cabeza basculan más a la derecha o a la izquierda, y que cada una de estas partes lo puede hacer a un lado distinto. Cuando aceptamos lo percibido conscientemente, sin juzgarlo, el sistema nervioso lo transmite al cerebro y este reorganiza la información facilitando la relación con el entorno.

En la misma posición prestamos atención a la respiración. Escuchando su ritmo y cualidad. Sintiendo el camino que va de la nariz a los pulmones, pasando por la tráquea. Observamos si al inspirar estos se expanden en todas direcciones o si existen partes en las que no se distingue la respiración, como en las primeras vértebras dorsales o debajo de las axilas.

Después estimulamos la respiración inspirando y, al espirar, exhalamos más aire de lo normal. Esperamos unos segundos y volvemos a inspirar sin forzar nunca el tiempo de espera. Se repite todo el proceso tres veces. Luego se retorna a la respiración natural del cuerpo, observando cómo ha cambiado. El ejercicio lo completamos reteniendo el aire después de la inspiración, sin suspenderlo mucho rato y repitiéndolo boca abajo. Así abriremos la respiración a más partes del cuerpo y advertiremos un cambio sorprendente: cuanto más libres nos sintamos al respirar, más superficies de contacto tendremos con el suelo y viceversa. Llegará de esta manera la relajación.

DE LA TIERRA AL AIRE
La respiración es un magnífico espejo de la conciencia corporal. La voluntaria nos permite influir en la respiración involuntaria, ampliándola si no la atenazamos. Asimismo, la conciencia permite influir positivamente en

◼ MOVILIDAD AUTÓNOMA

Estos ejercicios permiten comprobar de manera ordenada la autonomía que tiene cada uno de los segmentos que forman la columna vertebral cuando los flexibilizamos y estiramos.

Los brazos que cuelguen por su propio peso, libres.

2 **Pecho y abdomen.** Después del primer ejercicio, deja caer la zona pectoral y finalmente la zona abdominal, hasta alcanzar con las manos el suelo o quedar cerca de él.

3 **De rodillas.** Si lo necesitas, dobla las rodillas. Camina con las manos hacia delante hasta quedar a cuatro patas y hacer el ejercicio número 2 a la inversa hasta ponerte de pie. Después repítelo todo tres veces. A la cuarta, quédate a cuatro patas, con las rodillas sobre los tobillos.

1 **Cabeza.** De pie, deja caer el peso de la cabeza hacia delante suavemente, hasta alcanzar el límite del movimiento sin forzarlo, de manera que solo participe el segmento cervical de la columna vertebral. Es decir, el resto de la espalda, las regiones dorsal y lumbar de la columna no deben moverse ni participar en este ejercicio de la cabeza.

▪ SENTIR LOS HEMICUERPOS

Ejercicios para ser conscientes de las partes derecha e izquierda de nuestro cuerpo y de la relación que establecemos con ellas.

1 **La apertura.** A cuatro patas, con el peso y el apoyo en los pies y la mano derecha, levanta la mano y el brazo izquierdos y gira hacia la izquierda, abriendo el pecho y acompañando el movimiento con la cabeza. Repítelo con la mano y el brazo derechos. Después, de nuevo a cuatro patas, levanta la pierna derecha con la cadera, devuélvela al suelo y eleva la pierna izquierda.

2 **Voltear.** Con el peso y el apoyo de la mano izquierda y el pie derecho en el suelo, levanta la mano y el brazo derechos y la pierna izquierda. Con el cuerpo mirando a la derecha, dobla la pierna izquierda y pásala por el interior de la derecha. Haz cada lado tres veces y acaba sentado, con las piernas dobladas y las plantas del pie, brazos y palmas en el suelo, por detrás de la espalda.

▪ COLUMNA VERTEBRAL

Extensión de todos los segmentos de la columna para sentir el espacio de la espalda.

3 **Expansión y contracción.** Desde la posición que se ve en la foto, bascula a continuación la cadera hacia atrás y, con el vientre metido hacia dentro, arquea la parte anterior del cuerpo (los flexores). Lleva luego los brazos hacia atrás, sintiendo el espacio de la espalda pero evitando comprimir las cervicales. Pasa de la expansión a la contracción varias veces.

ROTACIÓN DEL TRONCO

El tronco y la columna son el eje fundamental del cuerpo humano. Con estos movimientos, realizados con suavidad, podemos comprobar la capacidad de rotación que tienen.

1 **Bisagras.** Sentado, piernas dobladas y pies en el suelo, con una separación superior a la cadera. El brazo izquierdo detrás del tronco y la mano en el suelo. Deja caer las piernas a la derecha hasta tocar el suelo.

2 **Torsión.** Con brazo y mano derechos extendidos, torsiona el tronco hacia la derecha hasta situarte sobre la pierna y el isquion derechos. Los ojos siguen al brazo. Repite con apoyos y torsión hacia la izquierda.

el movimiento, pero no puede ser un corsé que aprieta el inconsciente, sino, al contrario, alguien o algo que nos quiere bien y nos ayuda.

LOS SECRETOS DEL CUERPO

El momento más importante de la vida es el presente, este instante que no sucedió ni sucederá nunca más. Trae consigo la posibilidad de transformación y la experimentación de los acontecimientos más importantes del vivir: el amor, la libertad, la belleza, la verdad, el silencio... Solo entrando en el momento presente se vive realmente una vida plena. Y esto se produce a través de la conciencia de los cinco sentidos, que enseña a escuchar las señales de vida.

Se puede empezar practicando un ejercicio muy sencillo. Se aprecia primero el sabor de la boca, paladeándolo. Se percibe luego la luz y se registran

las imágenes que llegan a los ojos. Se escuchan a continuación los sonidos de alrededor y se captan los olores del espacio en el que se está. Y por último, se advierte el tacto de la ropa que llevamos sobre la piel, su textura y la temperatura de todo el cuerpo. Una vez puestos los cinco sentidos en el lugar en el que uno se encuentra, el sexto sentido llega por sí solo, envolviendo a los otros cinco.

Después de este preámbulo se advierten tres mensajes del cuerpo. El primero es que la memoria corporal es acumulativa: aquello que se aprende físicamente cuesta de olvidar. El segundo mensaje es que la relación con la gravedad, la respiración y los sentidos permanecerán despiertos y preparados para cualquier evento, aunque este no pase por el pensamiento. El tercer mensaje es que, aunque con la repetición

llega el aprendizaje corporal, al cabo de un tiempo comienzan los hábitos, y con ellos los mecanicismos que no responden al presente evolutivo en el que se vive. Esos hábitos pasan a ser obsoletos. La conciencia corporal ayuda a cambiarlos intentando otros patrones de movimiento para hacernos más adaptables.

LOS SONIDOS DEL SILENCIO

El filósofo Soren Kierkegaard dijo que, de profesar la medicina, remediaría los males del mundo creando el fármaco del silencio. La conciencia corporal precisa, detrás de cada ejercicio, un momento de silencio, que puede durar entre medio minuto y tres, en los que no se hace nada y, se esté donde se esté, se deja que la conciencia vuele y los sentidos perciban y disfruten la vida que pasa a través del cuerpo y de nuestro ser.

LOS PIES, LA BASE DEL BIENESTAR

Basta atender a cómo repartimos el peso en la planta de los pies para mejorar al instante la postura corporal. Los pies (y las suelas de los zapatos) dicen mucho de cómo nos movemos. Por eso son un punto de partida idóneo para ganar armonía corporal. Ser consciente de sus necesidades y de cómo se mueven constituye el primer paso para fortalecerlos y ganar salud.

● El pie nos sustenta, nos da soporte, nos relaciona con el suelo y el mundo, nos permite sentir el contacto con la tierra y enraizar nuestra postura, nos impulsa a movernos hacia delante, a desviar o redirigir nuestros movimientos corporales. Conozcamos de cerca sus funciones, particularidades y cómo podemos familiarizarnos con sus movimientos.

El pie consta de 28 huesos, incluidos los sesamoideos. Su movimiento tiene lugar gracias a los músculos propios del pie y los de la pantorrilla. Podemos diferenciar en él tres partes: el retropié o parte posterior, cuya función principal es la de soporte y tiene una estructura ósea más amplia que el resto; el mediopié o parte media, con una función principal de adaptación; y el antepié o parte anterior, con una función principal de propulsión y donde los huesos son más largos.

Al igual que sucede en la arquitectura, con el fin de distribuir mejor las cargas, el pie cuenta con diferentes arcos dinámicos que le dan una forma de bóveda a su planta. El interno va desde el hueso calcáneo hasta la cabeza del primer metatarsiano, es el más elástico y se modifica en función de los requerimientos de carga o descarga. El arco externo va del hueso calcáneo hasta el hueso del quinto metatarsiano, es el más rígido y aporta mucha estabilidad. El arco transversal se halla justo detrás de las cabezas de los metatarsianos, es el más corto, une los dos arcos longitudinales en su parte anterior y permite la adaptación del antepié en el espacio.

RELACIONES POSTURALES

Junto con el sistema vestibular y visual, el pie es uno de los captores posturales de información más importantes para gestionar la propiocepción corporal.

A mayor equilibrio de su tono y líneas de tensión, así como coordinación con el resto del cuerpo, nuestra postura en bipedestación podrá descansar de manera equilibrada en el centro del polígono de sustentación que forman los pies, facilitando a la vez movimientos más eficientes.

Cuando el pie es el origen de la restricción de movilidad de otra zona corporal se habla de pie causativo. Por el contrario, si el pie compensa restricciones de otras zonas del cuerpo a fin de intentar evitar molestias

■ DESCALZOS

Solo ventajas. A menudo se cree que ir descalzo o tocar el suelo frío con los pies puede favorecer los catarros y los dolores de garganta. En realidad, si se comienza a andar descalzo se comprueba que más bien sucede todo lo contrario. Además, caminar descalzo sobre tierra o hierba estimula los puntos reflejos en las plantas y ayuda a descargar la electricidad estática.

■ CÓMO INFLUYEN LOS APOYOS PLANTARES EN LA POSTURA

Un desequilibrio que comienza en una manera inapropiada de apoyar las plantas puede repercutir y generar molestias a la altura de las rodillas, las caderas o incluso las cervicales.

Toma conciencia de cómo el peso del cuerpo se distribuye por las plantas.

2 **Con los pies en varo.** De manera relajada, permite que la parte posterior de tu pie (talus y calcáneo) se abra hacia el exterior formando un varo del retropié como en la foto.

1 **Posición de referencia.** Con los pies separados, cierra los ojos y fíjate en si distribuyes más peso en la parte anterior, media o posterior del pie. Percibe si tu peso está más desplazado hacia la parte externa o la interna. Muévete para llevar el peso hacia delante, atrás y lateralmente. Sé consciente de los tejidos y músculos que se activan.

3 **Con los pies en valgo.** A continuación, coloca el retropié en posición de valgo. Siente la influencia que tiene eso sobre la postura que adopta el resto de tu cuerpo.

y dolores, se habla de pie adaptativo. Pero con el tiempo, un pie adaptativo puede convertirse en causativo al fijarse los patrones de restricción.

Tengamos en cuenta que el pie es una estructura dinámica que se puede moldear al trabajar sobre su tejido conjuntivo, mejorar su vascularización e inervación, así como su interrelación corporal. El objetivo de un tratamiento postural en relación a los pies es abrir los espacios de restricción para que puedan tomar contacto con el suelo relajadamente, a la vez que logramos una orientación bidireccional sin esfuerzo de la extremidad inferior, pelvis, tronco, columna y cráneo hacia el espacio.

Desde una visión preventiva es interesante tomar conciencia del estado de nuestros pies, adoptar hábitos saludables para cuidarlos y realizar ejercicios de movilización, masaje, estiramiento y relajación de su tejido. Para tomar conciencia de las variaciones que se pueden generar en el cuerpo al modificar la posición del pie o viceversa, es útil realizar los ejercicios de la página anterior.

PIE VARO Y PIE VALGO

Teniendo en cuenta la parte posterior del pie puede hablarse posturalmente de pie, valgo, pie neutro y pie varo. **En un pie varo** el tendón de Aquiles tiende a inclinarse hacia el exterior. Salvo otras posibles compensaciones, la cadena adaptativa o causativa será la de rodillas también en varo, la pelvis en una posición de apertura, la zona sacra verticalizada y una disminución de la curvatura lumbar.

En un pie valgo se puede observar la tendencia del tendón de Aquiles a inclinarse hacia el interior. Salvo otras posibles compensaciones, la cadena adaptativa o causativa será la de rodillas también en valgo, la pelvis en una posición de cierre, el aumento del ángulo sacro y de la lordosis lumbar.

■ ESTIRAR LA CADENA POSTERIOR

Los músculos posteriores de las piernas tienden a acortarse, lo que puede llevar a un desequilibrio general de la postura.

1 **De pie, coloca una cuña** bajo la planta de los pies (se puede improvisar con una tabla de madera y unos libros). Es importante que las plantas estén enteramente en contacto con la superficie. El objetivo es relajar la cadena estática posterior, cuyo recorrido va desde la planta del pie hasta las aponeurosis y membranas intracraneales. Flexiona el tronco hacia delante para incrementar el efecto (se puede colocar una silla o algún objeto para apoyar los brazos). Al levantarse se procura doblar primero las rodillas.

■ MASAJE CON RODILLO

Solo necesitas un rodillo de cocina para realizar un masaje agradable y profundo sobre la pantorrilla.

Incide en las zonas de la pantorrilla donde notes más tensión.

1 | **Desplaza el rodillo de manera suave y consciente,** actuando sobre todos los tejidos de la parte inferior de la pierna, desde la zona posterior de la rodilla hasta el talón. Al terminar este ejercicio, levántate y observa si ha variado el apoyo plantar, y si las sensaciones que proceden del cuerpo son en general distintas.

■ ALARGAR LOS MUSLOS

La tensión en los cuádriceps puede aplanar la zona lumbar y causar dolor en la zona. Estirarlos previene el problema.

1 | **Siéntate cómodamente** sobre los talones y busca la sensación de relajación. Si notas demasiada tensión en el tejido, coloca una toalla doblada entre los talones y los glúteos.

2 | **Apóyate sobre los dedos** y siéntate de nuevo sobre los talones. No tengas prisa. Procura respirar relajadamente y sentir el estiramiento de la musculatura con comodidad.

▪ MASAJE, MOVILIZACIÓN Y RELAJACIÓN

Inicia los siguientes ejercicios de pie. Toma conciencia de la alineación del pie desde el talón hasta los dedos, también de la bóveda plantar y de las zonas de contacto con el suelo.

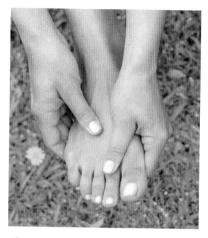

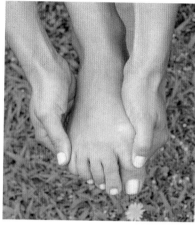

1 **Con una mano en la parte posterior** del pie y fijando con la yema de los dedos la línea media del talón, y la otra mano contactando con el primer y segundo dedo, practica movimientos de torsión sobre el eje longitudinal del pie.

2 **Con una mano en la parte externa** y otra en la parte interna, como en la fotografía, eleva con las yemas de los dedos de las manos el arco interno y externo del pie. Realiza movimientos suaves y continuos.

3 **Con los pulgares sobre el dorso** del pie y las yemas de los otros dedos en el arco interno y externo de este, ejerce una ligera presión con los pulgares y separa los arcos elevándolos por los costados.

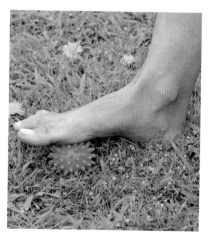

4 **Siéntate ahora** en una posición que te resulte cómoda. Con los pulgares en contacto con la planta de pie, explora, desde el talón hasta los dedos, su forma, curvaturas y posibles puntos de tensión. Aplica un masaje con los pulgares.

5 **Con el peso distribuido** en toda la planta, fíjate en el movimiento en torno al eje desde el talón hasta los dedos, y del eje oblicuo en el retropié. Siente cómo al bascular el peso creas más contacto en el arco interno o externo de la planta.

6 **Acaba con unos movimientos** relajantes, pisando una pelota blanda de goma que te permita sentir toda la planta del pie. Presta atención a si sientes puntos dolorosos o zonas de tensión e incide especialmente en ellos.

EJERCICIO DE INTEGRACIÓN

Para finalizar, realiza un ejercicio que ayudará a tu cuerpo a asimilar todos lo que ha aprendido en la sesión. Cierra los ojos y deja que el organismo integre todas las sensaciones.

1 **Desde una posición de flexión** de rodilla y flexión dorsal del pie, llevando el peso del cuerpo hacia atrás, integramos en un gesto dinámico el cambio de peso desde el retropié hasta el antepié, enlazando con el siguiente movimiento.

2 **Viniendo desde** la posición anterior, al llegar al antepié, rueda los dedos creando un estiramiento en toda la región anterior y la pantorrilla, involucrando también la pelvis y dando continuidad al movimiento de extensión de la columna. Repite cambiando de pie.

CALZADO Y COMODIDAD

Al comprar calzado hay que tener en cuenta la forma del pie. En el pie egipcio, el dedo gordo es el dedo más avanzado; en el pie griego lo es el segundo dedo; en el pie cuadrado esos dos dedos se hallan alineados. Al probar un calzado nuevo hay que sentir si existe suficiente distancia hasta la punta en relación con la forma personal del pie.

El calzado cumple una función de protección y estabilización, pero debe ser cómodo en las tres zonas mencionadas (retropié, mediopié, antepié) y debe permitir realizar las tres fases de la marcha (contacto, desarrollo del apoyo plantar y propulsión) de manera natural.

Un zapato o incluso un calzado deportivo demasiado apretado o con los cordones muy ajustados puede comprimir las ramas dorsales del nervio fibular superficial, cuyo paso desde la parte anterior del tobillo y el empeine queda muy expuesto a la posible compresión, y provocar molestias, adormecimiento o dolor.

CONSEJOS POSTURALES

Al sentarte, comienza por ser consciente del contacto de tus pies con el suelo, así como del soporte que le dan al resto del cuerpo. Nota cómo una posición equilibrada sobre el eje longitudinal de tu pie y el equilibrio entre la parte externa e interna de la articulación del tobillo te invitan a alinear el pie con la rodilla y la espina iliaca anterosuperior, y a mantener una posición más neutra de la zona lumbar que transmite una posición relajada a tu columna.

UNA COLUMNA BIEN ALINEADA

Respetar las curvaturas de la columna, sin que pierda por ello su alineación, permite ganar conciencia corporal, fluidez respiratoria y estabilidad de ánimo. Adoptar una postura sentada correcta –sentándose sobre los isquiones y apoyando la espalda– puede cambiarnos la vida. Lo mejor es que se pueden modificar los malos hábitos con poco esfuerzo.

● La columna vertebral constituye el eje del cuerpo. Aunque es cierto que la palabra *columna* ayuda a representar una imagen adecuada a su funcionalidad, es decir, de soporte, sostén y apoyo, no es un pilar totalmente vertical, sino que posee curvaturas que le dan un aspecto serpenteante. Vista de perfil, se caracteriza por cuatro curvaturas naturales: cifosis sacrococcígea, lordosis lumbar, cifosis dorsal y lordosis cervical (*cifosis* significa curvatura convexa y *lordosis*, curvatura cóncava). Estas curvaturas actúan conjuntamente como algo parecido a un muelle al caminar o correr.

Cuando las curvaturas se incrementan o se enderezan se produce una alineación inadecuada que somete a las vértebras a estrés mecánico. De esta manera se inician procesos patológicos como la deshidratación, la degeneración discal, la protrusión o la hernia discal, la artrosis y el pinzamiento discal nervioso.

Una buena alineación física empieza con la actitud, pues el sentido que damos a la vida afecta directamente a la postura física. El cuerpo somatiza los pensamientos, el diálogo interno continuo y la actitud vital. Por eso no

es exagerado decir que para sentirse bien no basta con ejercitar los consejos que aquí se ofrecen, sino que hay que evaluar los pilares de la vida: su sentido y trayectoria, las creencias o convicciones o el papel del amor. Puede ser útil realizar un trabajo de crecimiento personal con un profesional o en grupo. De este modo, además de poder valorar otras perspectivas diferentes, se asegura la constancia y se crea un ambiente de apoyo.

NADIE ES PERFECTO

No existe una alineación corporal perfecta que se adecue a cualquier tipo de morfología, edad, patrón emocional, actividad deportiva, situación laboral, etc. Todos tenemos asimetrías en la alineación de las articulaciones y en la tensión muscular, incluso sin ser conscientes de ello (un hombro más alto que otro, pies planos o cavos, curvaturas escolióticas, anomalías en la posición de la pelvis, una tendencia a inclinar el cuerpo hacia delante, incluso sentados, etc.).

Si nuestro organismo se organiza de una manera determinada es porque se trata de la postura más equilibrada que ha podido conseguir den-

▮ BIEN SENTADO

1. Mis dos pies descansan sobre la tierra.
2. Mi peso recae de manera igual sobre los dos isquiones.
3. Mi sacro, lumbares y omoplatos están bien apoyados sobre el respaldo.
4. La respiración alarga la columna y ensancha la espalda.
5. Mi nuca está relajada.
6. Mi mirada está dirigida hacia el frente.
7. Mi cuerpo se abre ante esta experiencia, sea la que sea.
8. Inhalo y exhalo de manera consciente siemque puedo.

◼ EMPEZANDO POR LA BASE

Estos estiramientos permiten empezar a trabajar en la adopción de posturas cotidianas relajadas, fisiológicas, sin necesidad de recurrir a esfuerzos innecesarios.

Puedes utilizar el respaldo de una silla para apoyarte.

1 | **Estiramiento posterior y del cuadrado lumbar.** Coloca las palmas de las manos sobre el respaldo de una silla y aléjala hasta que notes un estiramiento en la parte posterior de los muslos. Dobla una rodilla y mantén la otra extendida. Puedes girar la pelvis hacia el lado de la rodilla doblada. Repite el ejercicio cambiando de pierna.

2 | **Erectores de la columna y aductores.** Siéntate sobre los isquiones, apoyándolos sobre el borde de la silla. Separa las piernas hasta un máximo cómodo (pero manteniendo las rodillas justo por encima de los talones) y flexiónate desde las caderas, soltando toda la columna hacia abajo para agarrar las patas de la silla.

MUSLOS Y ZONA LUMBAR

Sentarse sobre el hueso sacro en vez de sobre los isquiones puede llevar a perder la curvatura lumbar, lo que repercute en los discos intervertebrales. Estos ejercicios ayudan a compensarlo.

1 **Estiramiento posterior.** Para realizar este ejercicio coloca una manta delgada enrollada debajo de las vértebras lumbares y túmbate boca arriba para estirar las piernas sobre una pared. La extensión pasiva de la columna hidrata los discos intervertebrales, y esta postura, además, se puede realizar y mantener sin ningún esfuerzo. Disfruta escuchando el vaivén de la respiración mientras relajas todo el cuerpo.

2 **Estiramiento posterior y de los aductores.** En la misma posición de antes, se separan las piernas hasta que se llegue a estirar la parte interior de los muslos.

tro del desequilibrio en el que se encuentra. Por eso, buena parte de los procesos dolorosos no son más que conflictos mecánicos provocados por la imposibilidad del organismo de ofrecer una respuesta adaptativa.

Es importante encontrar un equilibrio entre, por un lado, intentar no controlar el cuerpo (en especial si no se ha consultado con un profesional) y, por otro, adoptar una posición adecuada, a fin de mejorar y evitar degeneraciones articulares y contracturas musculares.

ATENCIÓN AL SENTARSE

Gran número de nuestras actividades principales, sean laborales o de ocio, las realizamos sentados. Es crucial que nos eduquemos en las cuestiones clave de la higiene postural a la hora de sentarnos. Podemos empezar por fijarnos en la postura corporal mientras se lee este artículo.

Pies. Es indispensable que los dos pies se apoyen sobre el suelo. El hábito de sentarse colocando una pierna encima de la otra, aparte de coartar la circulación sanguínea y linfática (buena parte del retorno venoso discurre por la parte posterior de la pierna), carga la cadera y rodilla de abajo con el peso de la otra pierna, además de desalinear la pelvis y con ello toda la columna. De hecho, a lo largo de los años se puede llegar a crear una escoliosis por esta postura.

Isquiones. Los huesos que notamos cuando llevamos sentado un buen rato sobre una superficie firme son las claves de una columna erguida y elegante: los isquiones. Parece una exageración decir que sentarse sobre los isquiones –en vez de sobre la parte baja del sacro, que es lo que se suele hacer– puede cambiar no solo la alineación de la columna, sino la confianza, la autoestima y la positividad que se llega a sentir en la vida cotidiana, pero es justamente lo que sucede. De la misma manera que cambiando de actitud mental ante la vida se produce un cambio físico, al hacer un cambio físico se consigue crear una transformación psicoemocional.

Sacro y lumbares. Para asegurarse de que se está correctamente sentado sobre los isquiones hay que pegar el sacro al respaldo. Como la columna no es recta, si la silla sí lo es, habrá un espacio entre la espalda baja y el respaldo. Ese espacio podría rellenarse con un cojín delgado para apoyar las lumbares.

Omoplatos. Tienen que estar apoyados sobre el respaldo.

◼ RECUPERAR LA POSICIÓN NATURAL DE LOS HOMBROS

Sentado ante un ordenador es habitual tener los hombros caídos hacia delante. Estos ejercicios sirven para estirar los músculos que no permiten que los hombros vuelvan a una posición natural.

Un ejercicio adecuado si los hombros tienden a caer hacia delante.

2 **Estiramiento de los pectorales, bíceps y oblicuos.** Con la cara dirigida hacia el árbol o la pared, apoya el antebrazo sobre estos. Lentamente, empieza a girar todo el tronco para mirar en la dirección contraria. Si te resulta cómodo, gira el otro hombro y lleva el brazo por detrás de la espalda.

3 **Pectorales y cervicales.** Inhala y permite que la respiración alargue tu columna. Entrelazando las manos tras la espalda, colócalas sobre el respaldo de una silla. La cabeza queda suelta hacia abajo para estirar mejor la zona cervical. Respira profundamente llevando el aire hacia los pectorales y luego a los omoplatos.

1 **Estiramiento de los pectorales y dorsal ancho.** Coloca los antebrazos sobre un árbol firme o sobre una pared, lo más alto posible pero con comodidad. A continuación, lentamente, camina hacia atrás siendo consciente de qué sucede en tu cuerpo y sin llegar nunca a forzar la zona lumbar.

■ CADERAS Y CUÁDRICEPS

Permanecer largo rato sentado en una silla acorta los flexores de la cadera, especialmente el psoas-iliaco, un músculo clave.

1 **Estiramiento de los flexores de cadera.** Dobla la rodilla izquierda y agarra el empeine del otro pie por detrás, acercándolo al glúteo. Inhala, alarga la columna y alza el brazo libre.

2 **Estiramiento de los cuádriceps.** Coloca el empeine sobre el respaldo de la silla, inhala y entrelaza las palmas de las manos, apoyándolas al otro lado del respaldo.

■ LOS ISQUIONES

Para sentarse correctamente es imprescindible descubrir cómo se están apoyando estos huesos de la pelvis.

Busca con la pelota la protuberancia que caracteriza al isquión.

1 **El punto de apoyo.** Puedes rotar suavemente la pelvis sobre una pelota de tenis para ser consciente de las protrusiones óseas de los isquiones. Hay que sentarse sobre estas dos estructuras. Si la silla es muy dura y notas una pequeña molestia en esa zona, puedes colocar un cojín delgado bajo las nalgas a fin de amortiguar el contacto del hueso con la silla.

■ PSOAS Y PIRAMIDAL

Son dos músculos cruciales para la estabilidad lumbar. El psoas-iliaco va desde las vértebras lumbares hasta el fémur. El piramidal va del pubis al resto de musculatura abdominal.

1 **Piramidal.** Con una rodilla doblada adelante (el pie queda debajo de la cadera del lado opuesto) y la otra pierna extendida, suelta toda la columna hacia el suelo para descansar la frente sobre las palmas.

2 **Piramidal y psoas-iliaco.** Incorpora la columna y «camina» con las palmas todo lo que puedas hacia atrás. Al exhalar profundamente, el diafragma sube y el psoas se estira todavía más. Repite cambiando de lado.

Cervicales. Pocas sillas tienen un relieve anatómico para las cervicales. Si no es así, puede colocarse un cojín delgado para apoyar el cráneo. Pero las cervicales no tendrían que tocar el relieve el cojín: solo debería hacerlo la cabeza.

Hombros. Los hombros tienen que estar relajados. No se trata de empujarlos hacia atrás ni hacia abajo. Cuando se empuja una estructura ósea, los músculos son los que se contraen y la traccionan, y al hacer una acción repetitiva durante horas se pueden crear contracturas y acortamientos musculares innecesarios.

Brazos. Delante del ordenador es imprescindible apoyar los codos y antebrazos, a fin de que el peso recaiga sobre la mesa. Al dejar los brazos colgados en el aire, se sobrecargan los trapecios, los elevadores de la escápula y los pectorales.

Apoyo sobre el respaldo. En su libro *Columna sana* (Ed. Paidotribo), el fisioterapeuta y osteópata Álex Monasterio Uría recoge un estudio de la presión discal en la zona lumbar en diferentes posturas. Al sentarse sin apoyar la columna sobre el respaldo –por ejemplo, sobre un taburete de bar– cada centímetro cuadrado de cada disco lumbar soporta nada menos que 4,5 kg. En cambio, al sentarse con la columna apoyada sobre un respaldo el peso disminuye a 2,75 kg/cm^2. Por eso es muy aconsejable apoyar toda la espalda sobre el respaldo.

MENOS ESFUERZO, MÁS GOCE

Se suele creer que mantener una postura erguida y elegante a la hora de sentarse requiere un esfuerzo y un proceso largo y duro. Habituarse a una nueva postura es un proceso que dura unas semanas, pero puede acortarse ese tiempo si se practican conscientemente estos consejos en todo lugar: la oficina, el coche, el sofá... Pueden combinarse con algún entrenamiento personal de educación postural y de relajación de músculos clave –a fin de relajar y estirar aquellos músculos que están tan acortados que no permiten volver con facilidad a la alineación natural de la columna. Pero recordemos que estos dos puntos –sentarse sobre los isquiones y apoyar la espalda sobre el respaldo– pueden cambiar literalmente nuestra vida.

No se trata para nada de forzar el cuerpo. De hecho, es mejor pensar en términos como soltar, descansar, relajar, minimizar el esfuerzo, disfrutar... Así podremos gozar de un cambio que genera no solo una adecuada alineación corporal, sino fluidez respiratoria y estabilidad mental.

RESPIRAR USANDO EL DIAFRAGMA

La calidad de la respiración depende en parte del libre movimiento del diafragma, un músculo grande y potente. Algunos factores lo limitan y acortan, como hábitos de vida tóxicos, malas posturas mantenidas en el tiempo o emociones negativas que nos contraen. Corregir estos factores ayuda a liberar el diafragma, respirar con mayor conciencia y ganar bienestar.

● El diafragma suele definirse como un músculo que separa la cavidad torácica –la cavidad aérea– de la abdominal –la líquida–. De hecho, diafragma se traduce del griego como «separación». Pero también se podría considerar una membrana de unión. El corazón se asienta sobre el diafragma y recibe un masaje con cada respiración. Al inhalar, el diafragma se contrae y baja, haciendo descender al corazón; al exhalar, se relaja y sube, empujándolo ligeramente desde abajo. Este contacto constante se produce también con los pulmones y los órganos de la cavidad abdominal. El diafragma no tiene una forma propia, sino que se adapta a las formas y a las presiones que recibe de los órganos.

FACTORES LIMITANTES

Para ejercer su función, el diafragma necesita cierta libertad de movimiento. Su posición central y relativamente flexible hace que cada cambio orgánico o postural pueda influir en su estado y, en consecuencia, puesto que es el protagonista de la respiración, en esta y en la calidad de vida. Su funcionalidad óptima depende de varios factores:

Estado psicoemocional: la actitud vital afecta a la postura corporal, que influye en el volumen respiratorio.

Higiene postural: la forma en que se usa el cuerpo al estar de pie, sentarse o cualquier actividad diaria afecta al equilibrio muscular y a la posición de las articulaciones en relación al eje de la gravedad y, por tanto, a la capacidad respiratoria. Muchos pasamos horas frente al ordenador con la columna semiflexionada y los hombros hacia delante. Este aprisionamiento de la caja torácica no permite al diafragma bajar libremente con la inhalación y, para compensar la limitada entrada de oxígeno, incrementamos las respiraciones, lo que a menudo lleva a una respiración hiperventilada, moderada pero crónica.

Elasticidad miofascial: es la que afecta a los músculos inspiradores y espiradores, y a sus fascias, los tejidos que los envuelven y conectan con otras estructuras. La libertad del diafragma depende de muchos grupos musculares, algunos potentes y principales y otros más pequeños. Algunos forman parte de cadenas musculares que a menudo se sobreutilizan por una mala higiene postural.

■ OBSERVAR LA RESPIRACIÓN

Los ejercicios respiratorios pueden tener diferentes objetivos: crear conciencia respiratoria, sincronizar la respiración con el movimiento, estirar los músculos respiratorios y posturales, cambiar patrones o hábitos, prepararse ante una situación estresante o dolorosa, relajarse o ampliar la capacidad pulmonar.

■ ESTIRAR AMBOS COSTADOS

Puedes apoyarte en un árbol o en una pared de casa, aunque los ejercicios respiratorios es preferible hacerlos al aire libre.

El codo del brazo que se apoya ha de quedar a la altura del hombro

1 **Apoya el antebrazo y la palma de la otra mano en el árbol.** Respira profundamente hacia el lado del tórax estirado, continúa con una retención de 3 segundos (cierra la garganta, la glotis, para retener el aire y relaja las cervicales y los hombros) y luego realiza una exhalación aún más profunda que la inhalación. Repite el ejercicio hacia el otro lado.

■ ABRIR Y CERRAR LA CAJA TORÁCICA

Estos ejercicios se realizan de pie y con el objetivo presente de sincronizar los movimientos con la respiración.

1 **Con una inhalación profunda,** extiende la columna y abre las palmas de las manos hacia el cielo para estirar los pectorales. Extiende una pierna con un pie en el aire.

2 **Con cada exhalación,** abrázate llevando las manos a los hombros para estirar la musculatura intercostal posterior y flexiona luego la columna y las rodillas.

■ ESTIRAR EL CUELLO

Los malos hábitos posturales y respiratorios pueden acortar la musculatura respiratoria cervical accesoria.

■ ESTIRAR EL PSOAS

El psoas-ilíaco es un músculo clave para las caderas y las vértebras lumbares y comparte tendón con el diafragma.

1 **Sentada y la columna erguida.** Hombro y brazo izquierdos hacia atrás. Inclina la cabeza a la derecha. Tracciona el hombro izquierdo hacia abajo y exhala. Repite con el otro lado.

Agarrarnos al respaldo intensifica el estiramiento de la caja torácica.

2 **La cara anterior del cuello.** Enrolla una toalla y colócala alrededor de la nuca. Con la columna erguida, extiende las cervicales. Cierra bien la boca y haz exhalaciones profundas.

3 **Sentado de lado sobre una silla,** mantén la rodilla de delante con una flexión de 90° y la pierna de atrás lo más extendida posible; los brazos, por detrás de la espalda, permanecen agarrados al respaldo de la silla como en la foto. Exhala luego profundamente para permitir que el diafragma suba, tire de su tendón hacia arriba y estire del músculo psoas aún más.

■ COORDINAR DIAFRAGMA Y PELVIS

Túmbate boca arriba en la postura de mariposa con un cojín o una manta enrollada bajo la columna. Así se extiende la columna, se abre la caja torácica y estira la musculatura intercostal.

1 | **Extiende los brazos hacia atrás** y con una exhalación profunda introduce los abdominales hacia dentro.

2 | **Vuelve a prestar atención** a tu respiración; nota si su volumen, amplitud y profundidad han cambiado.

Las vías aéreas –nariz, tráquea y laringe– deben facilitar que el aire pase. Alergias, una gripe o el asma afectan a la mucosidad y a su apertura.

Aparte de estos factores, existen otros no menos importantes. Hábitos tóxicos como fumar, o incluso la contaminación ambiental, afectan a la mucosidad de las vías aéreas. El insomnio reduce la energía del cuerpo y puede perjudicar a la higiene postural. Esto a su vez desemboca en la instauración de unos patrones reflejos respiratorios en el sistema nervioso que dificultan cualquier cambio.

La ropa ajustada puede limitar la respiración, y también los tacones altos. Estos desalinean el cuerpo frente al eje de la gravedad, lo que causa una contracción constante de la cadena muscular posterior y desalinea un músculo esencial: el psoas-iliaco. El diafragma se entrelaza con las fibras musculares del psoas-iliaco y puede perder su equilibrio posicional.

Por último, las emociones que nos contraen –rabia, tristeza, insatisfacción, celos...– también afectan a la ca-lidad respiratoria. Si se cronifican, se convierten en actitudes físicamente limitantes y dolorosas.

El acto respiratorio es, pues, una actividad compleja. Si la respiración depende de tantos factores, ¿cuál es nuestro papel a la hora de realizar una respiración adecuada? O mejor: ¿existe una respiración adecuada?

LA RESPIRACIÓN LIBRE

Muchos profesores de yoga oyen decir a sus alumnos: «Respiro muy mal». Si les preguntan cómo lo hacen, las respuestas suelen ser: «Respiro solo hacia el pecho», «respiro poco, rápido y superficialmente». Sin tener ninguna afectación respiratoria patológica, muchas personas tienen la sensación de que no respiran de una manera adecuada. Pero ¿qué es una respiración adecuada? Se produce cuando la respiración en la vida cotidiana concuerda con las exigencias que se imponen al organismo, desde dar un paseo en el parque hasta subir escaleras con la compra o hacer actividades aeróbicas como el baile y la natación.

Es decir, una respiración coherente con lo que el organismo requiere para funcionar de forma óptima en cada momento del día.

La respiración libre es multidireccional (toda la caja torácica y abdominal oscila anterior y posteriormente), cumple la ley del mínimo esfuerzo y es regular y rítmica. Pero no hay una sola manera adecuada de respirar. Todo depende de muchos factores. Ver la respiración como un fenómeno que emerge, dado por diferentes condiciones, puede servir para apreciar la respiración como un proceso, como un indicio del estado general del organismo. Si sientes que respiras superficialmente, la solución no está en respirar más hondo. Lo interesante sería ir al origen: buscar las respuestas en tu estado psicoemocional y en tu alineamiento corporal. Porque cuando estiras regularmente los músculos respiratorios y posturales y cultivas una conciencia corporal, respiratoria y psicoemocional, es cuando la respiración se libera de los factores que la limitan.

TONIFICA Y SUAVIZA TUS ABDOMINALES

La alimentación, la respiración, la movilidad, el equilibrio o las emociones dependen en buena parte de cómo sentimos y ejercitamos la zona abdominal. Por eso, conocer los músculos involucrados y mantenerlos tonificados con ejercicios regulares es una forma de mejorar el bienestar personal a un nivel que va más allá de tener un vientre plano y con buena apariencia.

● Tendemos a valorar la estética de la zona abdominal según el famoso modelo de la «tableta de chocolate». Pero este criterio no considera la edad, las constituciones morfológicas, los partos y otros factores naturales, y puede dar lugar a una valoración rígida que afecte a la manera en que se percibe y se vive el cuerpo. Por eso, para ir más allá de la «tableta» es útil conocer la anatomía, ubicación y nombres de las cuatro capas abdominales:

Rectos abdominales. Se trata de unos músculos superficiales (la «tableta») que se cuidan parcialmente de la flexión del tronco. Son los únicos que no ejercen una acción directa sobre la zona lumbar y su estabilidad.

Oblicuos mayores. Se ubican justo debajo y lateralmente de los rectos abdominales.

Oblicuos menores. Localizados debajo de los oblicuos mayores, los dos participan en la flexión, rotación e inclinación del tronco. Su fortalecimiento garantiza más calidad de vida.

Transversos del abdomen. Es el músculo más profundo de las cuatro capas abdominales. Está casi pegado a las vísceras. Los transversos intervienen al toser y al expulsar algo, como ocurre en el vómito, la defecación o el parto. Lo curioso es que apenas ejercen un efecto sobre el esqueleto, prácticamente no traccionan la pelvis, ya que sus fibras contráctiles están en paralelo a ella, y movilizan las vértebras mínimamente (ante todo actúa estabilizando las vísceras). Al contraerse, sus fibras circulares reducen el diámetro de la región abdominal y crean una «faja» muscular. Por todo ello, los transversos del abdomen son los músculos más interesantes para trabajar si el objetivo de la práctica es crear una estabilidad lumbar y reducir la talla de la cintura.

MOVILIZAN Y ESTABILIZAN

Los músculos abdominales crean movimiento en el tronco (flexión, torsión, inclinación) y en la pelvis (anteversión, retroversión). Dado que se insertan en el esternón, las costillas, las vértebras y la pelvis, también son capaces de movilizar dichas estructuras. Estabilizan el tronco entre la pelvis y las piernas: sin la sujeción que dan no podríamos caminar ni subir escalones. Asimismo ayudan a la estabilidad lumbar, por ejemplo cuando se carga peso.

■ TORSIÓN DE TRONCO

Chiprana. Es un ejercicio de calentamiento porque mejora la circulación sanguínea. Las torsiones tonifican los abdominales, especialmente los oblicuos. Además, resultan beneficiosas para la columna porque la flexibilizan y estiran las fibras oblicuas de los discos intervertebrales. Simplemente gira todo el tronco hacia un lado y después hacia el otro.

■ FORTALECER EL ABDOMEN

Estas posturas de yoga (*asanas*) de intensidad creciente fortalecen los músculos oblicuos y transverso abdominal y sirven además para estimular toda la faja abdominal.

Mantener el codo debajo del hombro y elevar bien el tronco.

2 | **Variante.** Una versión más intensa. Se puede apoyar un pie sobre el suelo para ganar estabilidad. Realizar así de 3 a 10 respiraciones completas y repetir varias veces al día.

1 | **Vasisthasana.** Esta *asana*, de la que se ofrecen dos variantes más a la derecha, fortalece el músculo oblicuo y el músculo transverso abdominal, el más profundo de los músculos anchos del abdomen, fundamental, a causa del apoyo que da al tronco, para no caer contra la gravedad. Es importannte mantener el codo justo debajo del brazo y elevar bien el tronco.

3 | **Variante.** Aporta tonificación abdominal, pero si se trabaja mucho con el ordenador, no conviene mantenerla mucho rato, ya que puede cargar las muñecas.

Por ello, como los abdominales estabilizan ante todo el tronco y la zona lumbar, los ejercicios más efectivos no son los clásicos de flexión del tronco ni los que elevan las piernas (estos últimos cargan la zona lumbar, dado que el músculo psoas-iliaco tracciona longitudinalmente la columna, lo que comprime los discos y puede producir dolores de espalda). Los abdominales idóneos son los que establecen el tronco en distintas posiciones contra la gravedad.

UN CENTRO EMOCIONAL

Los abdominales acompañan físicamente todas nuestras emociones, por ejemplo al llorar, reír o entrar en cólera. Justamente en esta zona reside el llamado «cerebro abdominal». Para Michael D. Gershon, autor de *El segundo cerebro*, el lenguaje de las células del sistema nervioso abdominal es tan rico y complejo como el del cerebro.

El sistema nervioso entérico, una subdivisión del sistema nervioso autónomo que reside en el tejido del aparato digestivo, es la única parte del cuerpo que puede ignorar un mensaje que llega desde el cerebro craneal. Asimismo, en el sistema digestivo se produce y almacena el 90% de la serotonina, cuya función es esencial: regula la absorción y aporte alimenticio, la temperatura corporal, el humor, el apetito, el placer sexual o el placer en general. La barriga es un recipiente de emociones, y nuestra sensación de bienestar reside en este centro.

LA PRÁCTICA HOLÍSTICA

Una práctica abdominal sana y holística tratará por «tanto» de ver esta zona en toda su plenitud, llena de vida, con sus altos y bajos. No consiste solo en hacer ejercicios, sino que se expande a lo largo de todo el día. Practicamos a la hora de comer, cuando cuidamos la forma en que respiramos y cuando escogemos el modo de gestionar las emociones.

◼ EL TRIÁNGULO EN EL YOGA

Esta postura es un ejercicio vigoroso de tonificación de todo el cuerpo, y especialmente de los músculos abdominales.

1 **Trikonasana.** ¡Importante! Rodillas y dedos de los pies deben apuntar a la misma dirección para que no haya una torsión en la articulación de la rodilla. Bajar el tronco hasta donde resulte cómodo.

2 **Variación.** Es importante igualmente no llegar a notar ninguna molestia en las rodillas y bajar el tronco solo hasta donde resulte cómodo. La postura se mantiene de 3 a 10 respiraciones completas.

◼ TONIFICACIÓN

Este ejercicio es un tonificador de toda la faja abdominal y es el más idóneo si solo tenemos tiempo para realizar uno.

1 **El ejercicio ideal.** Los ejercicios más efectivos no son las flexiones del tronco ni los que elevan las piernas, sino los que establecen el tronco contra la gravedad. La postura se mantiene entre 5 y 10 respiraciones varias veces al día.

2 **Variante.** Si se desea un reto adicional o se dispone de más tiempo, puede elevarse una pierna, sola o junto al brazo opuesto. Los codos, en este ejercicio y el anterior también, deben permanecer justo debajo de los hombros.

■ ESTIRAMIENTOS Y MASAJES PODEROSOS

Ejercicios para lograr una mayor intensidad en la tonificación de todos los músculos y órganos involucrados en el bienestar abdominal y un mejor equilibrio entre la parte anterior y posterior.

1 **«La Cobra» sobre una silla.** Apoya bien las palmas de las manos sobre el asiento de la silla y extiende la columna, notando cómo se estiran los músculos abdominales y cómo se tonifican.

Pierna derecha adelantada en un ángulo cercano a los 90°.

2 **Automasaje con una pelota.** Tras tonificarla, es imprescindible estirar y suavizar esta zona. Un masaje a los órganos digestivos con la pelota mejora la circulación sanguínea y la digestión.

3 **«La Guerrera».** Al inclinar, torsionar y extender la columna a la vez se logra una mayor intensidad en la tonificación y el estiramiento de los músculos abdominales. Además, con esta postura de yoga se fortalecen los estabilizadores de la columna por su parte posterior, lo que equilibra la tonificación realizada entre la parte delantera y la parte posterior del cuerpo.

UNA MANDÍBULA SIN TENSIONES

La tensión emocional es responsable de muchos problemas de mandíbula, hoy cada vez más comunes, por cierto, que dan lugar a bruxismo, dolores en la espalda y también en hombros y brazos. Si existe dolor, es importante como prevención evitar los bostezos exagerados, morderse las uñas, apoyarse con una mano en la mandíbula y dormir siempre del mismo lado o boca abajo.

● La mandíbula es el único hueso móvil del cráneo, y se relaciona con él a través de la articulación temporo-mandibular. Como la rodilla, posee un menisco o disco, y alrededor músculos y ligamentos. La articulación temporo-mandibular se palpa introduciendo el meñique en la oreja y su movimiento se aprecia abriendo y cerrando la boca. Se habla de ella en singular pero es doble, pues cuando se mueve una, la otra también.

Según la medicina china esta articulación gobierna a las demás, ya que es la que está más arriba. Es, además, la única que une el lado derecho e izquierdo, lo que hace que influya en la verticalidad y simetría del cuerpo.

DOLORES EN LA MANDÍBULA

Las alteraciones de la articulación temporo-mandibular están muy relacionadas con una buena o mala oclusión, es decir, con el encaje de los dientes del maxilar superior y los de la mandíbula.

La oclusión puede cambiar a lo largo de la vida. En la primera infancia, evoluciona bien si las funciones de respiración, deglución y masticación están equilibradas. Se ha de respirar por la nariz, tragar apoyando la lengua en el paladar y masticar por ambos lados. Esto es importante que se mantenga toda la vida, con una buena estructura de los maxilares para que el encaje sea correcto. Una mala oclusión agrava los problemas en la articulación temporo-mandibular si se sufre bruxismo.

El conjunto de problemas que afectan a la articulación temporo-mandibular y a los músculos que la rodean se conoce como disfunción de la articulación temporo-mandibular.

En una fase inicial se siente solo dolor muscular. Con el tiempo puede producirse una subluxación o luxación discal reducible: se oye un clic al abrir o cerrar la boca, con una discreta desviación al abrir. Si el problema persiste, el menisco, al estar desplazado, no permite abrir bien la boca. En esta fase aparecen acúfenos y dolor de cabeza y cervicales.

UN ABORDAJE MULTIDISCIPLINAR

Los problemas en la articulación temporo-mandibular deben abordarse desde distintas disciplinas, incluida la psicología.

El dentista, que a su vez puede ser kinesiólogo, puede determinar el origen de la disfunción y tratarla con férulas cuando sean necesarias. **Osteopatía.** El osteópata es el gran aliado del dentista, al regular el movimiento respiratorio primario (oscilaciones de las suturas de los huesos del cráneo) y equilibrar el sistema cráneo-sacro-mandibular. **Fisioterapia.** Las técnicas de ultrasonido, ondas cortas y tens ayudan en caso de fracturas. **Homeopatía y flores de Bach.** Siempre en función de cada paciente.

cro-mandibular. En ese caso, la ayuda del osteópata resulta muy útil. Los síntomas, como dolor de cabeza o espalda, aparecen por la mañana o de madrugada. La apertura bucal está limitada y mejora al masticar. Los dolores a distancia son del mismo lado: un problema en la mandíbula derecha puede comportar cefaleas, acúfenos y dolores en el hombro y el tendón de Aquiles derechos. Si el problema no tiene su origen en ese sistema, sino en las cadenas musculares implicadas en la postura, el dolor de mandíbula y de cabeza o espalda será más por la tarde. Si la causa son los pies, se contracturan los músculos del lado contrario a la lesión.

Con todo, cuando aparece un problema en la articulación de la mandíbula la causa es a menudo multifactorial y suele existir una relación emocional y física.

CORREGIR MALOS HÁBITOS

La prevención se inicia en la infancia, con la lactancia materna y la educación de la respiración nasal, la deglución correcta (si es necesario impartida por un logopeda ortofonista) y la masticación por los dos lados. También pueden ser útiles las visitas periódicas al osteópata para equilibrar el sistema craneosacral, el tratamiento homeopático para personas de constitución laxa y las revisiones periódicas al dentista, a fin de colocar aparatos de ortodoncia funcional si fuera preciso.

Lo mismo vale para los adultos. Si se mejoran las funciones y se ejercen fuerzas equilibradas durante el día se pueden disminuir los problemas en la articulación temporo-mandibular. Por ejemplo: una persona que al concentrarse avanza la mandíbula y la desvía hacia un lado, de forma inconsciente está desgastando los dientes que están en contacto y estirando los ligamentos de la articulación, lo que puede derivar en una disfunción.

RELACIÓN CON LA POSTURA

Un problema mandibular puede reflejarse en problemas de postura y dolor muscular en zonas alejadas de la boca y al revés: ciertos problemas posturales inciden en la mandíbula. La influencia de la mandíbula se debe, en parte, a que en la cabeza nacen cadenas musculares que intervienen en la postura. Estas cadenas permiten al cuerpo situarse en el plano antero-posterior y equilibrarse. La

mandíbula desempeña un papel regulador en ese equilibrio.

Es esencial, asimismo, el sistema cráneo-sacro-mandibular, es decir, la relación entre el sacro, la columna vertebral y el cráneo. Este se estructura en dos ejes, el cráneo-sacro y el cráneo-mandibular, y es un sistema en espejo: por eso, una caída sobre el coxis puede repercutir en el cráneo. Un problema mandibular puede surgir por un desequilibrio cráneo-sa-

RELAJAR Y LIBERAR LOS HOMBROS

La enorme movilidad del hombro hace que esta articulación sea a menudo una fuente de dolor, sobre todo cuando mantenemos largo tiempo posturas erróneas o desempeñamos trabajos que fuerzan la musculatura. Para evitarlo proponemos algunos consejos y unos ejercicios que ayudan a compensar la sobrecarga muscular y la tensión emocional acumuladas en los hombros.

● Muchas personas recordarán a los Madelman, aquellos muñecos articulados que tenían su punto débil en el hombro. Se rompían por donde más lo usábamos: los brazos. El interés del fabricante por dotarlos de la máxima movilidad se volvía en su contra y los hacía frágiles en esa zona. Así es nuestra articulación del hombro: rica en movimientos y posibilidades, capaz de cargar, levantar, empujar. Gracias a ella nadamos, saludamos o nos peinamos. Nos da tanto que, si no la cuidamos, se queja, nos duele y avisa para que empecemos a cuidarla.

Cuando nos referimos al hombro, no hablamos solo de la **articulación**, ya suficientemente compleja. Están los **músculos**, tensos, variados y potentes: el trapecio, el supraespinoso, los dorsales, el infraespinoso... Los **tendones**, que transmiten esa fuerza muscular a los huesos y generan el movimiento. Solo cabe recordar aquí su importancia y que, ante cualquier molestia, la respuesta ha de ser rápida. Y finalmente, para que el hombro no se salga de sitio, están los **ligamentos**, preparados para dar el espacio justo a la articulación, la capacidad de acción y sujeción a la vez.

Ser consciente de esta complejidad puede ayudar a entender las demandas del hombro, el significado de sus molestias. El hombro tiene una amplia funcionalidad. Si observamos el brazo vemos que cuelga del hombro. Esto permite que gire 360 grados: lo podemos alzar, acercarlo al cuerpo y alejarlo de él, y hasta podemos llevarlo por detrás de la espalda.

El dolor muscular del hombro es una de las causas por las que más se pide un masaje. Queremos que nos toquen, que nos aprieten fuerte. ¿Quién no ha tenido esa sensación de dolor, carga o molestia en los hombros alguna vez? Entre los pacientes que llegan a las consultas unos comentan que notan dolor cervical, otros que les pesan los hombros... Algunos llegan con un dolor muy agudo, ven las estrellas con cada movimiento que hacen.

UNO MÁS ALTO QUE OTRO

Los músculos del hombro trabajan continuamente, pues son posturales: aguantan el brazo atraído por la fuerza de la gravedad y soportan los 7 kg que pesa la cabeza erguida para que no se vaya hacia delante. Tenemos, pues, una musculatura con to-

■ HOMBROS ESTIRADOS

Manos en la nuca. Con la espalda bien apoyada en una pared, entrelaza los dedos de las manos por detrás de la nuca, como se ve en la imagen. Luego lleva los codos hacia atrás, de manera que toques con ellos la pared o bien hasta donde permita el movimiento, pero sin forzar en ningún momento la postura. Repite el estiramiento 10 veces.

■ EMPEZAR SOLTANDO LOS BRAZOS

Ejercicio suave, de carácter pendular, que forma parte de los ejercicios terapéuticos de Codman que sirven para restablecer la amplitud de los movimientos y la función de los brazos.

En este ejercicio el brazo se mueve lo más suelto y relajado posible.

1 **Calentamiento.** Apoyando una mano en una silla o una superficie a media altura del cuerpo, flexiona poco a poco el cuerpo desde la cintura. Deja caer luego el brazo que queda libre como si fuera un péndulo y balancéalo dibujando con él círculos, que primero han de ser pequeños y luego cada vez más amplios. Mantén este movimiento durante medio minuto y luego repite el ejercicio con el otro brazo.

■ MOVILIDAD

Un ejercicio para mantener todo el arco de movimiento que tienen los hombros.

1 **Con un palo.** Toma los dos extremos de un palo (puede servir también una escoba) a una anchura superior a la de los hombros. Al inhalar eleva simétricamente los dos brazos hasta intentar llevar el palo por detrás de la cabeza. Procura mantener los hombros alejados de las orejas para que no se contraigan y abre el pecho llevando el esternón hacia el cielo. Al exhalar, baja los brazos. Repite este ejercicio 10 veces.

■ TONIFICACIÓN

Ejercicio para tonificar los músculos rotadores de los hombros y prevenir las tendinitis.

2 **Arriba y abajo.** Tumbado, colócate de costado sobre tu lado derecho con las rodillas en semiflexión. Lleva el brazo derecho debajo de la cabeza, como si fuera una almohada, y mantén el codo izquierdo pegado a las costillas, formando un ángulo de 90 grados. Toma con la mano izquierda una pequeña pesa o una botella y elévalo y bájalo. Repite el ejercicio 10 veces consecutivas y luego haz lo mismo con el brazo opuesto.

no constante. A eso se suma a veces un ejercicio continuado, como el de la peluquera que mantiene los brazos en alto buena parte del día. Entonces pueden aparecer las contracturas.

El músculo sano se acorta para generar movimiento y cuando este cesa se relaja. Si estas fibras que forman el músculo se encogen de manera permanente e involuntaria se produce entonces una contractura muscular. Todos podríamos encontrarlas en nuestro cuerpo. Una contractura muy visible se da en los trapecios, que hace que un hombro esté más alto que el otro –quien se mira en el espejo quizá se sorprenda–. A este acortamiento de un lado, si no duele, a menudo no se le da importancia, pero indica un des-

equilibrio que el cuerpo compensa en otra zona, como la cadera o a lo largo de la columna.

LESIONES MUSCULARES

A menudo el músculo se acorta involuntariamente por tensión laboral o emocional, malas posturas o repetidas, llevar un bolso pesado de un brazo... Esta lesión de las fibras musculares puede dar lugar a contracturas, puntos gatillo y fibrosis muscular.

Como compensación, el descanso o alivio de la tensión pueden ser suficientes. Si no, un masaje o aplicar calor en la zona puede hacer desaparecer las molestias que sentimos.

Cuando el dolor se manifiesta claramente ante la presión, se repite en el

tiempo y se puede detectar como una banda tensa, estamos ante un «punto gatillo». Todos los tenemos y producen un patrón de dolor muy parecido.

Hay atlas de anatomía que «traducen» el dolor e indican qué punto gatillo está activo. Es decir, se puede descubrir un punto gatillo por los síntomas del paciente, teniendo en cuenta que estos a veces se dan lejos del punto. Para eliminarlos se requieren las manos de un fisioterapeuta, un osteópata o un acupuntor.

Como último estadio, si se deja cronificar una contractura, las fibras musculares pueden transformarse en tejido fibroso. Pierden elasticidad y a menudo este proceso es irreversible. Los «bultos» dolorosos se pueden

TONIFICACIÓN Y RELAJACIÓN

Los movimientos con peso tonifican y fortalecen los músculos y protegen las articulaciones.
Para acabar hay que hacer un ejercicio que disminuya el tono muscular y la tensión acumulada.

2 **Círculos en el aire.** Con las piernas separadas y la espalda erguida, eleva los brazos como en la foto. Con unas pesas o dos botellines de agua, dibuja círculos pequeños en el aire durante 15 segundos y luego descansa.

1 **Pulgares abajo.** Sentado con las piernas cruzadas cómodamente y la espalda erguida, sostén una pequeña pesa o botella de agua en cada mano y gíralas hasta que los pulgares señalen el suelo. Con los codos ligeramente flexionados, lleva los brazos hacia delante y levántalos suavemente hasta llegar a la altura de los hombros, pero sin ir más allá. Repite 10 veces y aumenta gradualmente el número de repeticiones hasta llegar a 20.

3 **Destensionar.** De pie y con una leve flexión del tronco hacia delante, deja caer relajados los brazos y las manos. Mueve los hombros hacia delante y atrás como si los sacudieras, notando cómo se mueve hasta la última articulación de las manos. Así se descongestiona la tensión acumulada con los ejercicios.

◼ FLEXIBILIZACIÓN Y ESTIRAMIENTOS

Si se practican regularmente, estos ejercicios de estiramientos musculares y de flexibilización de las articulaciones permiten obtener una mayor libertad en los movimientos cotidianos.

1 **Calentar.** Flexionar los codos, elevarlos lateralmente hasta colocarlos a la altura de los hombros y dibujar luego círculos crecientes con ellos (primero pequeños y se aumenta paulatinamente el diámetro).

Ligera inclinación de rodillas y tronco.

2 **Codo atrás.** Con la mano izquierda coge el codo opuesto. Eleva el brazo derecho a la altura de la oreja y empuja el codo hacia la nuca sin provocar rebote, acompañando la respiración. Cinco veces cada brazo.

3 **Manos entrelazadas.** Entrelaza los dedos de las manos detrás de la espalda, tal y como se muestra en la imagen, y eleva los brazos intentando mantenerlos estirados. Abre luego el pectoral y mantén los hombros alejados de las orejas todo lo que puedas, sin forzar la postura. Puedes flexionar un poco el tronco y las rodillas, relajando las cervicales mientras respiras, como si estuvieras desperezándote.

■ GANAR FLEXIBILIDAD

Estos ejercicios sirven para aumentar la flexibilidad de los hombros y de la parte superior de los brazos para ayudar a que sean más fáciles ciertas actividades habituales en la vida diaria.

1 **Con una toalla.** Coloca una toalla encima del hombro izquierdo, dejando que un extremo cuelgue por la espalda. Alarga la columna y extiende lateralmente los brazos. Eleva el brazo izquierdo y baja el derecho: el movimiento debe iniciarse dentro de las articulaciones escápulo-humerales, con las manos siguiendo en vez de guiando el movimiento. Flexiona los codos, baja la mano izquierda detrás de la cabeza y eleva la derecha por la columna. Alarga ambas manos y agarra la toalla desde

cada extremo. Respira mientras se relajan los hombros. Repítelo 5 veces con cada hombro.

2 **Codo arriba.** De pie, coloca la mano izquierda sobre el hombro derecho. Con la mano derecha coge el codo opuesto y levántalo con suavidad hasta sentir el límite del movimiento. Mantente así unos segundos y luego vuelve a la posición inicial. Repite el ejercicio 5 o 6 veces y a continuación cambia de hombro.

tratar para disminuir las molestias, pero ya no desaparecerán.

PREVENIR EL DOLOR
Lo mejor para las molestias musculares es prevenir, no abandonarse tanto como para que el tejido muscular se transforme en fibra. Dentro de los hábitos sanos, los posturales son muy importantes. Especialmente los relacionados con la profesión. Hay que sentarse frente al ordenador teniendo en cuenta los consejos ergonómicos básicos (distancia de la pantalla, posición de los pies...). En otros trabajos, hay que vigilar el peso que se carga.

Por último, conviene prestar atención a las tensiones laborales y emo-

cionales. Cuando no son controlables a corto plazo, puede ser momento de recibir un masaje. Si el dolor de hombros aparece repetidamente o no se quiere sufrir, una buena solución es adoptar una rutina de ejercicios como la propuesta en este capítulo.

ATENUAR MOLESTIAS
Tras una jornada laboral agotadora, una vez en casa, se puede aplicar sobre el área molesta una bolsa de agua caliente, una esterilla eléctrica o los cojines que se calientan en el microondas (de venta en farmacias). Con el calor llega más sangre, la musculatura se relaja y la recuperación resulta más rápida. Si esto y el sueño

reparador no son suficientes, es recomendable realizar ejercicios básicos y estiramientos. Dependiendo de la situación, es conveniente también recibir un masaje descontracturante.

CORREGIR HÁBITOS
A partir de ese momento debemos responsabilizarnos del cuerpo y de los músculos, revisar qué hábitos resultan dañinos (errores posturales, falta de descanso, excesiva tensión...) y estudiar qué se puede hacer para llevar una vida más sana (ejercicio físico, rutinas de estiramientos en el trabajo...). Si, a pesar de todo, el dolor persiste, se puede recurrir a un profesional de las terapias manuales.

CÓMO AUMENTAR LA FLEXIBILIDAD

La fascia es el tejido que, como una red, envuelve el resto de tejidos de nuestro organismo (huesos, músculos y órganos) y los conecta entre sí. Está constituido por fibras de colágeno y elastina y cumple importantes funciones orgánicas, pero, además, este complejo sistema tiene un cometido básico en la mecánica corporal. Mantenerlo libre de tensiones asegura una buena flexibilidad.

● El sistema fascial se extiende por todo el organismo, compactándolo, dándole forma, compartimentándolo y estabilizando y sujetando los órganos. Está formado por un tejido blanquecino, las fascias, que está repleto de sensores biológicos conectados cada uno a un nervio para, entre otras funciones, informar al sistema nervioso central sobre las tensiones mecánicas que experimenta dicho tejido y, por extensión, el cuerpo.

Es el mayor sistema sensitivo del organismo, más incluso que la piel, y el principal tejido defensivo: en su interior fluye la llamada «sustancia fundamental», por donde transitan los linfocitos y macrófagos que mantienen a raya bacterias y virus, los fibroblastos (células reparadoras del tejido) y los nutrientes que alimentan las células. Además, a través de él transitan las toxinas derivadas de la actividad celular de los órganos para ser evacuadas por el sistema linfático.

Las funciones del sistema fascial no acaban aquí. Desempeña, asimismo, un importante papel en la mecánica corporal. Cada uno de los diferentes órganos (estómago, hígado, riñones, vasos sanguíneos, músculos...) tiene su propia funda fascial que, además de mantener la estructura del órgano en cuestión, se expande en diferentes direcciones para anclarlo al sistema óseo y a los órganos y estructuras adyacentes. Esa misma fascia envuelve los huesos, en cuyos extremos se densifica formando los ligamentos. Y la fascia, literalmente, tapiza la columna vertebral, manteniendo cohesionadas las vértebras y otorgándole flexibilidad para realizar los movimientos cotidianos. Desde la columna vertebral, continúa la expansión para formar las meninges; es decir, el tejido fascial que recubre y protege el sistema nervioso central (cerebro, cerebelo y médula espinal).

CADENAS MIOFASCIALES

Por todas estas funciones, es importante mantener el tejido fascial hidratado y elástico, libre de tensiones físicas y emocionales que lo dañan. Las fascias «empaquetan» los músculos y los conectan entre sí estableciendo líneas o franjas tensionales que sirven para mantener el cuerpo en una postura u optimizar la función durante el movimiento, por lo que la postura diaria afecta a estas líneas de tensión.

■ CUELLO LIBRE

Extensión con ayuda. Siéntate cómodamente. El compañero coge tus brazos por encima de las muñecas y apoya sus pies entre tus omoplatos. Con suavidad, suelta poco a poco la cabeza hacia el suelo.
Coloca la palma de una mano sobre la superficie de la piel por debajo de la clavícula. Tracciona la piel suavemente hacia abajo y realiza exhalaciones profundas: entre 1 y 2 minutos.

▪ DESTENSAR LOS BRAZOS

Las malas posturas en casa, en el trabajo o al caminar acaban tensionando el tejido miofascial. Pero podemos liberarlo con suaves estiramientos que conviene practicar de forma regular.

2 | **Agachado** y con las piernas algo dobladas hasta mantener la espalda recta, apoya los antebrazos sobre los brazos de quien te acompaña en el ejercicio. Realiza luego respiraciones profundas, como si llevases el aire a la zona lumbar, y después hacia la cara lateral de los costados.

3 | **En cuclillas,** lleva el peso de tu cuerpo a los talones, suelta la cabeza para estirar más la musculatura respiratoria y lumbar, y respira hacia los lados del tórax. Retén el aire unos 3 segundos y exhala después profundamente. En ningún momento hay que forzar la postura del ejercicio.

1 | **Dejarse caer.** Una persona sujeta a la otra por debajo de los codos o por encima de las muñecas. Quien disfruta del estiramiento tiene que confiar en el otro y dejar caer su peso hacia delante suavemente, desde los tobillos. Puede flexionar la cabeza para estirar así las cervicales. Si doliesen los hombros, lo más conveniente es no realizar este ejercicio.

■ ESTIRAR LA ESPALDA

Liberar de tensiones el tejido miofascial de las zonas lumbar y torácica resulta muy útil en situaciones de estrés y en caso de malos hábitos posturales.

1 **Con las rodillas** del compañero en el torso, una mano suya presiona suavemente hacia abajo en tu zona lumbar, y la otra, la zona torácica hacia arriba cuando exhalas.

2 **Sentado,** flexiona las rodillas, abrázalas y deja caer la cabeza hacia ellas. Dirige la respiración hacia donde más notes el estiramiento, retén el aire 3 segundos y exhala.

3 **Sentado** sobre los empeines y con las rodillas separadas, inhala aire y lleva el tronco hacia un lado, procurando que el ombligo descanse sobre el muslo. Estira los brazos y respira profundamente hacia los lados del tórax. Después continúa reteniendo el aire entre 3 y 5 segundos. Para terminar, realiza una exhalación que sea más larga que la inhalación.

RELAJAR EL ABDOMEN

El estrés se somatiza a menudo en el vientre. Las tensiones en él afectan a la estructura esquelética y se transmiten a los órganos intrabdominales y vértebras torácicas y cervicales.

1 **Con dos bloques** cuadrangulares de yoga o dos cojines firmes: coloca un bloque entre los omoplatos, en vertical y el otro, debajo del cráneo, en horizontal. Fomenta exhalaciones para estirar el paquete viscerofascial abdominal y luego fomenta inhalaciones para las vísceras intratorácicas. Puedes incorporar apneas de 3-5 segundos al final de cada tiempo respiratorio.

2 **Boca abajo,** con la frente apoyada sobre las manos, coloca bajo el abdomen una pelota llamada «pelota rítmica» o, en su defecto, simplemente una pelota de tenis envuelta con un cojín. Cuando la sensación de presión inicial vaya disminuyendo, se pueden hacer sobre la pelota unos movimientos circulatorios suaves de manera que suponga un masaje agradable.

Los músculos suelen trabajar agrupados en cadenas miofasciales (*mio* significa «músculo») a fin de mantener el cuerpo erguido. Cuando el cuerpo está mal alineado y una cadena trabaja más de lo que le corresponde, se tensa y acorta, lo que incide en las cadenas con las que se relaciona.

ALTERACIONES DEL TEJIDO

Los patrones posturales inadecuados y el estrés prolongado pueden endurecer y deshidratar el tejido fascial. Se reduce así su capacidad de aportar nutrientes a las células de la zona afectada y de evacuar los metabolitos de estas mismas células. La densificación reduce la flexibilidad y el rango de movimiento articular. Por otro lado, hay procesos patológicos que pueden alterar la biomecánica del organismo y extenderse a través de las cadenas miofasciales: un esguince mal curado puede provocar disfunciones mecánicas en la rodilla, la cadera e incluso la columna vertebral; y una cicatriz puede desencadenar una tensión que traccione las estructuras adyacentes. Por eso es importante contar con un fisioterapeuta, osteópata o experto que sepa encontrar esos núcleos de tensión.

ALGUNOS EJERCICIOS

Los músculos tienden a acortarse y contracturarse con los malos hábitos posturales; al estirarlos regularmente se consigue mantener el conjunto miofascial libre. En la superficie corporal resulta útil la tracción de la piel, firme pero suave, realizada con las palmas de las manos. También puede ayudar la respiración (con una apnea de 3-5 segundos al final del tiempo respiratorio). En algunos casos conviene enfatizar la inhalación (para la región anterior y posterior del tronco) y en otros la exhalación (región anterior y lateral del cuello).

• Un ejercicio mantenido de extensión de la columna combinado al mismo tiempo con exhalación y apnea mejora la elasticidad de las fascias viscerales abdominales.

• Con la inhalación y una apnea mejora la elasticidad de las fascias viscerales intratorácicas.

La clave no es tanto la intensidad como mantener el estiramiento durante un minuto o más. Si se fuerza el tejido miofascial, este tiende a mantener su rigidez para protegerse de una posible lesión, lo que hace más difícil extenderlo.

Créditos de los textos
© GANAR SALUD CON EL MASAJE: Jordi Sagrera-Ferrándiz: pp. 8-15.
© LIBERAR LAS TENSIONES CORPORALES: Luis Iglesias / Ángel López Hanrath (pp. 18-23; 24-27; 32-35);
Gerard Arlandes (pp. 28-31); Ramón Roselló (pp. 36-39); Manuel Núñez / Claudina Navarro (pp. 40-45).
© INTRODUCCIÓN AL QUIROMASAJE: Jordi Sagrera-Ferrándiz (pp. 48-53; 54-59; 60-61; 62-63).
© UNA VIDA SALUDABLE: Manuel Núñez / Claudina Navarro (pp. 66-69; 70-75; 76-79; 94-97);
Ramón Roselló (pp. 80-83); Gerard Arlandes (pp. 84-89); Pablo Saz (pp. 90-93).
© EQUILIBRARSE DE PIES A CABEZA: Gerard Arlandes (pp. 100-105);
Xavier Julià Eggert (pp. 106-111); Or Haleluiya (pp. 112-117; 118-121; 122-125; 134-137);
Ana Delgado (pp. 126-127); Luis Iglesias y Ángel López Hanrath (pp. 128-133).

© de esta edición: RBA Libros S.A., 2018
Avda. Diagonal, 189 - 08018 Barcelona
rbalibros.com
© 2015, RBA REVISTAS, S.L.

Edición: Manuel Núñez, Paco Valero
Diseño: Jordi Sabater
Maquetación: Tana Latorre
Foto portada: Getty Images
Fotos: RBA, iStock, Shutterstock, StockFood
Fotos Dr. Sagrera-Ferrándiz: Alfredo Garófano
Preimpresión: AuraDigit

Primera edición en RBA Libros: abril de 2018

RBA INTEGRAL
REF: RPRA398
ISBN: 978-84-9118-115-6
DEPÓSITO LEGAL: B.5.033-2018

El papel utilizado para la impresión de este libro es cien por cien
libre de cloro y está calificado como papel ecológico.

Impreso en España - *Printed in Spain*